ちくま新書

悪い言語哲学入門

和泉 悠
Izumi Yu

1634

悪い言語哲学入門【目次】

はじめに

こんにちは！　はじめまして。私の名前は和泉悠といって、大学で哲学や言語学を教えています。そしてそれら二つの学問を足したような名前の「言語哲学」（philosophy of language）という分野を専門としています。この本は、言語哲学を紹介するために書かれました。

……なんて当たり障りのない感じではじめてみましたが、このはじまりにおいてだけでも、言語哲学で取りあげられるトピックの数々を見つけることができます。読者のみなさんは、まったく初見にもかかわらず、今読んだ文の意味をただちに理解しました。「和泉悠」とかいうやつがどこかにいて、そいつが「あいさつ」をしつつ、ごちゃごちゃと言っているな、と思ったわけです。しかし、みなさんが目にしたものは、印刷されたインクのパターンや、スクリーンのちらつきに過ぎません。紙面やスクリーン上にある黒いひょろひょろした筋が意味を持って、時間も空間も超えて、遠くにいる知らない人物のあいさつとして把握されました。どうしてそんなことが可能なのでしょうか。

また、右のあいさつは「当たり障りのない」ものでした。代わりに、「こんにちは！　あほども！　耳の穴かっぽじってよく聞けや。おれさまの名前は〜〜」とはじめていたら、当たり障りだらけだったでしょう。しかし、なぜでしょうか。どうして、このような発言は「よくない」あるいは「悪い」のでしょうか。別に、私がみなさんを叩いたりしたわけではありません。物理的には、先ほどと同じように、目の前にインク滲みがあっただけのことです。

そもそも「意味」とは何なのでしょうか。「あいさつ」とは何なのでしょうか。発言が「悪い」とはどういうことなのでしょうか。本書では、そのような問いについてみなさんと一緒に考えていきます。

本書は二種類の読者を想定しています。まずは、学術分野としての哲学にそもそも関心があり、言語哲学についても学んでみようと思っている人たちです。現代の哲学には、「政治哲学」や「統計学の哲学」などさまざまな分野があり、言語哲学もそのひとつです。しかし、他の哲学分野を学ぶように、よし、ちょっと言語哲学について学んでみようと思ったとき、気軽に手に取れる本が少ないと感じています。言語哲学の入門的書籍は少なからずありますが、どれも比較的難易度が高いように思えます。また、主に英語圏で発展してきた言語哲学の主要な成果は、もっぱら英語を題材として議論されます。以下では、できるだけ日本語を素材とし、身近な言語現象について考察することにより、分かりやすく言語哲学を紹介したいと思います。

想定されている第二の読者は、哲学とか哲学のサブ分野とかそんなことはどうでもいいが、自分たちが使うことばについて興味を持っている、もやもやと気になることがある、といった人たちです。たとえば「小さい頃から「悪口を言ってはいけません」とかみんな言うけど、正直に事実を述べて何が悪いんだろうか。ことばが「悪い」ってどういうことだろうか」などと思ったことがある人などです。本書では、「悪口」や「罵倒」、「嘘」や「でたらめ」など、私たちの言語使用のダークサイドに焦点を当て検討していきます。みなさんが持つ疑問のすべてに本書が答えるわけではないでしょうが、「言語」について「哲学する」ことにより、自分たちのことばに対してきっと新しい視点が得られることを保証します。

ちなみに、本書に含まれるそれぞれの章は、比較的内容が独立しています。先に紹介された概念や道具が、後の章で用いられることはありますが、第1章から順番に読んでもらわないとついていけない、ということはないはずです。たとえば、第3章が少し長くて飽きてきたら、飛ばして読み進めて、また必要に応じて戻ってきてもらってもよいでしょう。あるいは、もし「嘘」に興味があるのなら、いきなり第6章を読んでもらっても構いません。

では「悪い言語哲学入門」をはじめましょう。第1章ではさっそく、「悪い」言語の代表格、「悪口」について考えてみます。

第1章

悪口とは何か——「悪い」言語哲学入門を始める

1　私たちは言語のエキスパートではない

みなさんの貴重な時間を割いてまで、言語哲学を学びたくなる理由はあるでしょうか。ひとつの理由として、思ったより私たちは言語についてよく知らない、という事実があげられます。

†日本語には「悪い」ことばがない？

認知科学者のベンジャミン・バーガンは、罵詈雑言についての本の中で、英語の卑語における大事な特徴が日本語には欠けていると書いています。バーガンによると、英語圏でおなじみの“fuck”といった語には「ことばそれ自体に、何か私たちが悪いとみなすものがある」そうです（Bergen 2016, p. 26）。単に無礼だからとか、性的だからというだけで、そうした語が避けられているわけではないのだとバーガンは考えます。

そして、バーガンによるとこの特徴は普遍的なものではなく、日本語には見られないそうです。日本語にももちろん、性的なことばも汚い言い回しもあるが、これはもう冒瀆的だから絶対だめ、これはもうどう考えても「悪い」から規制しないといけない、といった社会の総意がある語句がないようだ、というわけです。

バーガンはこれを示すひとつの例として、野球選手イチローへのインタビューを取りあげます。英語・日本語どころかスペイン語も達者な人物として紹介されるイチローによると、日本語には罵りのことばが基本的にはなく、自身は罵りたかったら代わりに英語やスペイン語を使うそうです。

バーガンがあげる、イチロー以外の日本語についての具体例が、映画『007は二度死ぬ』（一九六七年）に出てくるタイガー田中の台詞しかないことはさておくとしても、読者のみなさんのうち、バーガンの述べていることに、まったくそうだそうだと感心して、日本語には「悪い」ことばが一切なくてああよかった、と考える人は少ないでしょう。

バーガンはどうも、日本語話者は礼儀正しく、あまり口汚く罵り合ったりしないので、日本語にはそれほど「悪い」ことばがなさそうだと考えているように見受けられます。まずは、そんなわけがない、とだけ言っておきましょう（あるいは本当にそうだったら良かったのにと）。どの口が、私たち日本語話者は口汚く罵り合わないと言えるでしょうか。だから、バーガンはその点間違っています。しかし、どのことばが「悪い」のかについて、ましてや何がどこまで規制されるべきかについて、社会的総意がないというのはまったく正しいように思われます。私たちはおよそ手がかりなく、何となくまあこんなもんだろうと思いながら、人と話し、メールを打ち、SNSでつぶやいています。みなさんは、自分が産出したことばの向こうで一体何が起こるのか、深く考えたことがあるでしょうか。

その結果としてか、私たちの住む世界には「悪い」ことばが溢れています。日常的なやりとりにはからかい、揶揄、何気ない噂話が含まれます。いじめやけんかには恫喝や罵倒が現れます。そして、オンライン・オフラインともに、公共的空間には誹謗、中傷、マイノリティを攻撃する悪質なヘイトスピーチが野放しとなっています。私たちを奮い立たせるのもことばですが、私たちを地面に叩きつけるのもことばです。このような力を持つことば、そして言語とは一体何なのでしょうか。

†言語について学ぶということ

言語について、ことばについて知りたいことがあるとき、どうしたらよいでしょうか。私は専門家に尋ねてみる、というのが一番の近道だと思います。ところで、専門家がたとえばマントヒヒの生態や高分子の構造について語るとき、私たちは素直にその解説に耳を傾けます。しかし、専門家が言語について語るとき、特にその語りが自分の知っている言語（日本語とか英語とか）に関連するとき、私たちはどうも口を挟みたくなります。まるで、自分が言語についての権威を持っているかのように思ってしまうのです。[1] 今目にしているような文章を読む（そして書く）私たちは、少なくとも優れた日本語読解者としての能力を備えています。しかし、そのことが私たちを言語の専門家にするわけではありません。

私は（そしてきっとみなさんも?）大変優秀な肝臓を備えており、日々極めて複雑な生理学的運動や化学反応が肝臓周辺で生じています。しかし、肝臓にまつわる以上の記述が私の限界であることからも明らかなように、私は肝臓の専門家ではありません。健康な肝臓を持っていても、だからといって、肝臓の働きについて市民を啓蒙できるような専門家になれるわけではありません。同じように、私たちがどれだけ美文を理解し、生み出すことができたとしても、言語の専門家になれるわけではありません。

むしろ、私たちは思ったよりことば・言語について理解していません。たとえば、「悪い」ことばの代表として「悪口」がありますが、そもそも、悪口とはいったい何でしょうか。このような問いを立てると「悪口？　簡単ですよ。悪口とは、他者を傷つけることばに他なりません。そんなこと当たり前でしょう」といった答えがすぐ返ってくるかもしれません。実際、私が授業の参加者にこの問いを尋ねてみると、必ずそのような答えが返ってきます。いわく、悪口とは人を傷つけるもの、周囲の人々やさらには自分自身にも不快な思いをさせるもの、心理的な損害を与えるもの、といった具合です。

しかし、この答えはまったく不十分なのです。

2　悪口の謎

†悪口の必要条件と十分条件を私たちはまだ知らない

「悪口とは何か」という問いに対する「人を傷つけることばだ」という答えは、決して間違っているわけではないと私は考えます。しかし、この答えは、問いに取り組むための第一歩に過ぎません。

右のように答えることは、「星とは何か」と尋ねられて、夜空を見上げ、「あのピカピカ光って見えるものだ」と答えることと大差ありません。ＪＡＸＡの天文学者に、「星とはあのピカピカ光って見えるものですよ」と自信たっぷりに言っても、苦笑されるだけでしょう。別に間違ってはいませんが、そんな答えは、星の性質を解明する手助けにならないのです。

さて、当たり前のことを言いますが、「ピカピカ光って見えるものだ」ということは、「星だ」ということの必要条件でも十分条件でもありません。星の位置が観察者から遠過ぎたり、あるいは空が曇っていたりして、星がピカピカ光って見えないこともあるでしょう。ピカピカ光って見えることは、星であるために必要なこと（必要条件）ではありません。また、夜空の飛行機のように、星のようにピカピカ光って見えるものはたくさんあります。ピカピカ光って見えることは、星であるために十分なこと（十分条件）ではありません。

「人を傷つけることばだ」ということと、「悪口だ」ということの関係性も同じです。人を傷つけることばであることは、悪口の必要条件でも十分条件でもないのです。

†悪口の必要条件

まずは必要条件の方から見ていきます。悪口が必ず人を傷つけるとは限らないわけです。いくつかの例が想像できます（みなさんも考えてみてください）。ここでは、悪口を言われてもなんとも思わないような、強い人物を思い浮かべます。その人は、楽天的で前向きで、快活で社交的で、周囲の人間に真っ直ぐ向き合い、何があってもくよくよせず、学校や職場で人気者になっています。きっと私のような人間とは脳のケミストリーが大分違うのでしょう。ここではその人を高校生の浅草さんとします。

メンタルの強い浅草さん

ある日とあるクラスメートが、人気のある浅草さんに嫉妬したのか、二人きりになったとき、面と向かって浅草さんをさんざん罵った。浅草さんの部活動や、さらには家族についてまで、あることないことまきちらした。しかし、浅草さんにはそのひどいことばがまったく響かず、浅草さんは何も感じなかった。むしろ、急に乱暴なことばを使うクラスメートの状態が心配になって、その後親身に相談に乗ってあげた。

浅草さんはここでまったく傷ついていません。二人きりなので他には誰もおらず、誰も不快になったり、落ち込んだりしていません。しかし、クラスメートは、浅草さんの大事にしている部活や家族について、とてもひどいことを言いました。誰も傷ついていないからこれは一切悪口ではない、とみなさんは思えるでしょうか。そうは思わない人が多いでしょう。誰かを傷つけることが、悪口であるための必要条件ではないのです。

ここで、「そんな特別な浅草さんを出してずるくないですか。浅草さん以外の人が同じことを言われたら、とても傷ついたでしょう。悪口が誰かを傷つけることが多いことは間違いないわけで、やっぱり悪口は誰かを傷つけることばでしょう」といった応答があるかもしれません。このような応答は、私たちが、結局悪口が何か分かっていないことを示しています。

確かに、悪口は誰かを傷つけることがあります。あるいは、ほとんどの悪口は有害、有毒だとすら言えるかもしれません。しかし、だからといって「悪口とは何か」という問いに対する答えとして、その有害さを指摘するだけではまったく不十分なのです。

アナロジーを考えてみましょう。インフルエンザウイルスは人体に害をもたらします。インフルエンザウイルスが原因となって、節々が痛んだり、喉が腫れたり、高熱が出たりします。しかし、「インフルエンザウイルスとは何か」と尋ねられて、「高熱を出させるものです」と答えてもあまり意味はないでしょう。

もちろん、インフルエンザウイルスがいろいろな症状を引き起こすことは正しいのですが、私たちが知りたいのは、インフルエンザウイルスがどのようなウイルスで、それがどのような仕組みによって身体の不調を引き起こすのか、ということでしょう。もちろん症状の種類や程度を調べることも重要ですが、ウイルスの遺伝子や構造を調べることが、「インフルエンザウイルスとは何か」という問いに答えるために必要なわけです。

悪口も同じでしょう。誰かを傷つけるのは、悪口が引き起こす「症状」の一種であるように思われます。症状の種類や程度について考えることも大事ですが、では、なぜそのような症状が生じるのでしょうか。悪口とはそもそも何で、どのような仕組みを経由して私たちに害を与えるのかを考えることも大事です。

†悪口の十分条件

「人を傷つけることばだ」ということと、「悪口だ」ということにかなり距離があることが、ここまでの議論から明らかになったと思います。さらに、前者が後者の十分条件ではないことも確認しておきましょう。

さて、「スーパーボランティア」の尾畠春夫さんを覚えているでしょうか。尾畠さんは、二〇一八年ごろ、行方不明になっていた幼児を助けたことをきっかけに、年金生活をしながら、被災地などでボランティア活動を続けている人物として一躍有名になりました。移動・宿泊・食事とすべて自前で調達し、援助などを一切受けないスタイルが評判となったのです。自分は社会のお世話になってきたので、引退後の人生は恩返しをして過ごしたい、という尾畠さんの姿勢に感銘を受けた人も多いでしょう。次の（望ましくはまったく架空の）鰯水《いわしみず》さんはそんな一人だとします。

要領の悪い鰯水さん

四〇代働き盛り鰯水さんは、まだ就学中の子どもがいる父親だ。鰯水さんはスーパーボランティアのとあるインタビューにたいそう感銘を受け、自分もその真似事をやりだした。仕事を辞め、貯金を切り崩し、バンを購入し被災地を回ったが、どうにもセンスがないのでやることなすことうまくいかない。収入源を失い家族はバラバラになりつつあり、ボランティア先の住民にも迷惑をかけている。鰯水さん自身もストレスと過労で心身ともに限界まで追い込まれている。鰯水さんとその家族は、スーパーボランティアのインタビューにより、結果として傷つけられ、とても辛い思いをしている。あのインタビューさえなければ、こんなことにはならなかったのだ。

インタビューは私たちの言語活動の一種で、そして結果として一家離散寸前、傷つく鰯水さん、というわけです。あることばが誰かをとても傷つけたのです。しかし、スーパーボランティアに対して「あなたはとんでもない悪口を言った」などと難癖をつける人はいないでしょう。とんだ言いがかりです。誰かを傷つけることばであることは、悪口であるために十分ではまったくない（十分条件ではない）のです。

ここで、このインタビューが悪口にならないのは、被害が「間接的」だからだ、という意見を持った人もいるかもしれません。つまり、悪口に対して「直接的に害を引き起こすことば」というような定義を与えればいい、という発想です。

しかし、そうすると今度は、どこからどこまでが「間接的」で「直接的でない」のか、という問題が生じてきます。

エゴサの鬼の宇佐さん

自分の評判が気になって仕方がない宇佐さんは、いつでもどこでも、各種SNSや掲示板などで、自分の名前やあだ名など、関連しそうな単語を検索（いわゆる「エゴサーチ」）している。ある日、宇佐さんはネットの奥の奥、アクセスすらほとんどない、とてもマイナーですぐに消えてしまう掲示板の片隅に、自分に関する小さな書き込みを見つけた。それは宇佐さんのダメなところについて、誰かがわらっていたということを、別の誰かが、そのまた別の誰かから聞いたものとして報告しているものだった。気の小さい宇佐さんは、朝から嫌なものを見てしまったとして、一日中気分が悪くなった。

回りまわって、そしてエゴサをやりまくるせいで、宇佐さんにまで発言が届き、多少の害を与えましたが、これは非常に間接的な経路をたどった出来事です。さて、このような場合、最初に宇佐さんを馬鹿にした人物の発言は、悪口ではなくなるのでしょうか。私にはそう思えません。つまり、間接的だからといって、悪口でなくなるわけではないのです。

ここでさらに、この発言は「宇佐さんについてのもの」で、尾畠さんのインタビューは「鰯水さんについてのもの」ではない——そういう意味で「直接的」なものが悪口だ——といった返答があるかもしれません。私もその通りだと思います。しかし、ここまでくると、もはやことばが単に「傷つけたかどうか」という基準から離れて、ことば自体の中身の検討に移っています。私の主張は、まさに、ことばの中身について考えないと、それが悪口かどうかは分からない、という（結局のところ当たり前に聞こえる）ものです。だからこそ、単に害の有無に焦点を当てるだけでは不十分なのです。本書では、ことばの中身、内容についてしっかりと議論していきます。

謎1「なぜ悪口は悪いのか、そしてときどき悪くないのか」

このように、悪口について考えだすと、思ったよりもややこしいことがすぐに分かります。ここではさらに、悪口にまつわる謎を二つほど示しておこうと思います。「悪口とは何か」という問いだけだと漠然としているので、もう少し取り扱いやすそうな、個別的な問いを探してみるという、学問において大事な作業でもあります。

もし誰かを傷つけることばであることが、悪口の必要条件でも十分条件でもないとすると、何が悪口を「悪く」するのでしょうか。冒頭のバーガンも指摘するように、ことば自体に何か悪いところがあると私たちは思うわけですが、それは何でしょう。そして同時に、よく考えてみると不思議ですが、とても身近な点として、同じことばも場合によっては悪口でなかったりします。「バカシンジ」(物流／式波・アスカ・ラングレー)、「クソババア、長生きしろよ」(毒蝮三太夫)などは例が古すぎるでしょうか。

端的に、口が悪くても悪口とは限りません。本当に気のおけない親友を祝福するために、「てめえやりやがったな！　この野郎！　おめでとう！」とか「うらやましいなあー死ね！」などと言うことがあるかもしれません。人を傷つける悪意どころか、親しみを込めてそういったことばづかいをするわけです。

一方で、「軽口」や「いじり」に過ぎないと抗弁しながら、悪質なことばによる暴力がふるわれることもよくあります。悪口とそれ以外の境目はどこにあるのでしょう。どういう仕組みでこのような変化が生じるのでしょうか。

謎2「どうしてあれがよくてこれがダメなのか」

「なぜ悪いのか」という謎ともつながっていそうな、もうひとつの謎は、「なぜ特定の表現が悪く他が悪くないのか」というものです。場合によって悪口だったりそうでなかったりする、といっても、圧倒的に悪口に不向きな単語は存在します。たとえば「タコ」は人を罵る際に使えそうですが、「イカ」はそうでもなさそうですし、「本棚」などは見当違いです。「おいこらタコ！」と同じ勢いで、「おいこら本棚！」と言ってみてください。変な気分になると思います。私たちは人間ですので「タコ」ではないですし、同じように「本棚」でもありません。どちらの表現も私たちに当てはまらないわけですが、「本棚」はよりしっくりきません。どうしてでしょうか。

関連して、"Jap"という英単語は日系市民や日本人に対して用いられる差別的語彙ですが、一見これは"Japanese"の省略形に思えます。[2] 単語を省略すれば差別的になるというのはおかしな話です。「逃げ恥」や「キムタク」といった愛称が差別的なはずがありません。ところが、「外国人」よりも「外人」に侮蔑的ニュアンスを感じとることができるのも否定できません。これは一体どういうことでしょう。こうした語のペアにどんな違いがあるのでしょうか。

3　言語哲学を学ぶということ

†言語学と言語哲学

言語哲学とは言語についての哲学分野です。もし言語哲学が、先述の謎を含めて、私たちの「悪い」言語的ふるまいについて何も言えることがないのだとしたら、そんなものは廃業していいかもしれません。しかし、実際言えることはたくさんあると、言語哲学者である私は考えています。

ウイルスとは何か解き明かすために、医学や分子生物学における学術的知識が必要となるように、悪口とは何か解き明かすためには、少なくとも哲学と言語学両方の知識、そしてその二つの分野をつなぐような言語哲学における知見が必要です。

そこで次章から、悪口や、その他さまざまな意味で「悪い」言語現象について、そのメカニズムを理解する準備として、言語哲学など学術的研究で用いられる概念や理論を紹介していこうと思います。悪い言語に立ち向かうためには、まず悪い言語が何なのか探求しないといけないので、その準備をしよう、というわけです。

言語についての疑問に答えたいんだから、言語学だけでいいんじゃないの、と思う人もいるかもしれません。言語学は言語についての経験科学です。言語哲学は言語についての哲学です。科学と哲学というのは複雑にからみあって関連していますので、一般的に想像されるよりも、言語学者が行っていることと言語哲学者が行っていることは似かよっており、ときに区別しようがありません。

しかし、言語のダークサイドに立ち向かう際に、哲学が必ず役に立ちます。それは、歴史的に、哲学がものごとの善悪について語るための道具を提供し続けてきたからです。言語学を通じて、「こうなっている」「そうなっている」という事実関係を明らかにすることはできるかもしれませんが、哲学をプラスすることによってはじめて、「これはよくない、やめよう」「そうすべきだ」というような、価値についての判断にまで、到達することができます。結局、言語学も哲学も両方必要だから、言語哲学だ、というわけです。

†「正統派」言語哲学と「悪い」言語哲学

「はじめに」でも触れましたが、言語哲学は少し敷居が高い分野だと思われることがあります。そこで、悪い言語現象について考えるこの本が、言語哲学の入門編になって欲しいとも思っています。悪い言語を調べるために、言語哲学を学び始めるのは、もしかすると悪い入門の仕方かもしれません。少なくとも多数派ではないでしょう。

私が考えるひとつの「正統派」入門は次のようなものです。まずユークリッドとデカルトを読みながら、一九世紀後半から二〇世紀初頭にかけて活躍した、ドイツの数学者・哲学者ゴットロープ・フレーゲ（Gottlob Frege 1848–1925）の『算術の基礎』を読みます。そしてフレーゲが〇や一といった数をどのように定義したのか学ぶことによって、言語哲学という分野が、哲学・近代科学の歴史の中でどのようにして生じてきたのか、思想史的経緯を踏まえながら理解します。[3]

そして、ラッセル、ウィトゲンシュタイン、カルナップ、クワイン、デイヴィドソン、クリプキといった、二〇世紀を代表する主要な（白人男性）言語哲学者の功績をダイジェスト的に紹介していきます。私も、こうした「正統派」言語哲学入門を授業で教えたことがありますが、はっきり言ってこれに魅力を感じる人は少数派です。

二〇世紀言語哲学の特徴のひとつは、「言語を通じて哲学をする」という意味で「言語哲学」がとらえられることが多かった、ということです。ここでの「哲学」は、数学の知識がどうして正しいのか、経験科学の知識がどうして正しいのか、そもそも世界の成り立ちはどうなっているのか、そういった大きな問いにつながっています。そうした問いに対して、言語がこうなっているからこうだ、と言語の特徴を探求することにより、答えようとしてきたのです。

言語について考えることによって、知識や世界の成り立ちについてまで踏み込んでいくというのは、とても野心的でエキサイティングな試みです。しかし、裏を返すと、そうした大きな問いへの興味、哲学的関心がなければ右の面々が一体何をしたかったのかいまいちピンときません。

そこで、「悪い」言語哲学の登場、というわけです。「悪い」言語哲学は言語を通じて哲学をするわけではありません。悪い言語について、哲学を通じて考えてみるのです。しかし、それによって、言語哲学における概念や道具立てを学ぶことにつながります。[4]

いずれにせよ、「よい」あるいは「正統派」の入門があるならば、「悪い」あるいは「わき道からの」入門があってもいいでしょう。選択肢は多い方がいいわけです。

この章では、一般的な形で悪口の条件を吟味しつつ、悪口には謎があることを確認しました。次の章では、もう少し具体的な表現をとりあげて、悪口の分類について考察していきます。

第2章　悪口の分類——ことばについて語り出す

この章では、悪口を分類するやり方を考えることによって、ことばや言語というものについてどう語ればいいのか検討します。ことばについて語るためのことばを用意するというのは、なんだかややこしい気がしますが、何について語るときも、それを適切に特徴づけるための数多くのことばを準備しなければなりません。

たとえば料理の仕方を習うときも、たくさんの語彙を同時に覚えなければなりません（あるいは、そうした語彙をすでに了解していることを前提としなければなりません）。食材の名前、調理器具の名前、具体的な調理の工程などの名前を知らなければ、どれほど丁寧なレシピがあったとしても、なんの役にも立たないでしょう。

「まず、ゴボウをピーラーでささがきにして、アクを抜いてください」という指示を、「ゴボウ」「ピーラー」「ささがき」「アク抜き」という単語抜きで説明することを想像してください。「そこの茶色い細長い木の棒みたいなやつと、T字カミソリを大きくしたようなやつを、それぞれ左手と右手に持ってボールの上で——いや違う違う、それだと手を切りますよ——」。そんなことをするくらいなら、それらの単語をまず覚えてもらう方が早いと思うでしょう。

以下では、「名詞」「動詞」といった馴染みのある用語から、「タイプ」「トークン」といったやや専門的な用語まで、これから言語について語ることを助けてくれる用語を、悪口の分類について考えながら導入していきます。

1　内容にもとづいた分類

†ディスクレイマー

ところで、ここから具体的な表現例が増えていきます。たとえ引用であると分かっていたとしても、読者が不快感を覚える表現が含まれているかもしれません。また、単にひわいであったり、粗暴であったりするだけでなく、差別的な語彙も登場する可能性がありますので、あらかじめ指摘しておきます。

具体的に表現を吟味することは、悪い言語について考え、理解を深めるために必要な過程です。ただ、必要な量を超えて、過度にそうした表現を含めないようにしたいとも考えています。

しかし、繰り返し述べたい点は、差別的語彙などの使用は、単に快・不快の問題に尽くされるものではないということです。すでに第1章において、悪口は単に心身へ害がおよぶかどうかによって決められない、という点を確認しました。第5章、そして第8章においても、関連する論点を取りあげます。

†筒井康隆のリスト

悪口の分類を考えるとき、作家筒井康隆が一九六七年に発表した「悪口雑言罵詈讒謗私論」という文章を外すことができません。なかなかパンチの効いた、面白い論考ですので、みなさんも機会があれば読んでみてください。筒井は「悪口の分類はとてもむずかしい」と書き起こしますが、だんだんとノリノリで筆が走り、私は途中で数えるのも諦めたのですが、おそらく一〇〇〇個近くの単語を「悪口の形容詞」として列挙し、それらをおおよ

その内容別に分類します。たとえば、

分類A・架空の動物
天狗・おたふく・ひょっとこ・ヌエ・猫又・吸血鬼・ドラキュラ・死神・疫病神・貧乏神・幽霊・亡霊・幽鬼・怨霊・生き霊・鬼畜・餓鬼・般若・夜叉・女夜叉・化けもの・お化け・怪物・濡れ女・磯姫・灰婆・ろくろ首・コロポックル・一本足のタタラ・山父
（筒井 1967, p. 25）

と始め、「書いていて気持ちが悪くなってくるが、悪口なのだから、どうせろくなものはない」ともっともなことを述べます。これはほんの書き出しで、続いて「分類B・人間」「分類C・職業」「分類D・身体」「分類E・けもの」「分類F・鳥」「分類G・魚貝」の項目の下にずらずらと流れるように同様の語句を羅列します。

上記分類Aには三〇個の語句しか含まれませんが、分類Bにはなんと一二二個も語句が並びます。幸か不幸か、「魚貝」まで進んだときに「ここでとうとう枚数がなくなってしまった」（p. 30）ので、残りは分類名と二、三の例示だけで終わります。残りの分類は、

「分類H・虫」「分類I・植物」「分類J・鉱物」「分類K・加工品」「分類L・自然現象」「分類M・生死」「分類N・病気」「分類O・身体障害」「分類P・精神障害」というものです。

出版年からも予想されることかもしれませんが、このリストには、現在ではほとんど禁句に近いような語句がたくさん含まれています。差別的な単語など、おおやけの出版物では当然使われないものです。

この変化を私たちはどう考えればよいのでしょうか。時代の移り変わりに適切に対応していっているのでしょうか。それとも、単に「くさいものにふた」をしているだけなのでしょうか。この問いについても、言論の自由などを検討する第8章であらためて取りあげます。私は、差別的な語句の使用は、「単なることばの問題」ではなく、根本的に差別的な実態と関連していると考えます。そのため、ここでも露悪的な傾向性に歯止めをかけて、あまり意味もなくリストを再生産しないように心がけています。

†悪口の普遍性

筒井のリストを眺めていると、気づくことが二つあります。まず第1章冒頭で述べた、バーガンが示す日本語についての見立てはやはり間違っていたことが明らかでしょう。バーガンによると、口汚いことばには主要な四つの種類があります。"goddamn"といった聖にまつわるもの（罰当たりなもの）、"fuck"といった性にまつわるもの、"shit"といった排泄物や体液にまつわるもの、"Jap"といった人にまつわるもの、の四種類です。特に前者二つについて、ピッタリと対応する日本語を探すのは難しいかもしれません。しかし、筒井の表現群の中からでも「生臭坊主」「お陀仏」などの宗教的語彙、性にまつわる罵りの例も事欠きません。そして、人体から滲み出る液体を指すあらゆる語句、人種・民族・出自などに関する差別的語句を、筒井はこれでもかというくらい並べています。

結局のところ、イチローさんはお上品だっただけなのかもしれません。日本語を使っても、相手を存分に口汚く罵ることができることは間違いないでしょう。どのような意味での普遍性があると言うのが正しいかは分かりませんが、英語・日本語だけでなく、世界中の悪いことばには内容的な共通点があると思われます。

筒井の分類に関して、もうひとつ気づくことは、人間以外を指すことばが数多く含まれている、ということです。「架空の動物」「けもの」「鳥」「魚貝」「虫」「植物」「鉱物」などが分類としてあげられています。二つ、三つ筒井の例を見てみると、「帝国主義の走狗め」「やい。あひるみてえにがあがあいうな」「もやし」（pp. 29-30）などがあります。

確かに、虫の名前を使って人を罵るというのも、自明なほどありふれた現象でしょう。第8章において、なぜそうなのかという理由を提案したいと思います。あらかじめ方針を述べておくと、悪口の主要な役割は、人を自らより下に位置づけることなので、人を「人間以下」の生き物でたとえることは、とても目的に適った手法だということです。

2　形にもとづいた分類

さて、これまで見てきたように、私たちは言語をその内容にそって分類し、語ることができます。その一方で、内容を切り捨てて、その形や構造に着目して、言語について語ることもできます。

†このバカめが！

たとえば、右にあげた「走狗め」を見てみると、「名詞＋め」の形になっていることが分かります。筒井の例では他にも「この腑抜けの抜け作のうすら馬鹿のどん百姓め！」

（筒井 1967, p. 24）などが見られます。「め」というのは、「私めにお任せください」などのように、自分を指すことばにつけた場合、卑下するための表現となり、そして、自分以外を表すことばにつけた場合、それを卑しめるための表現となります。さらに、「め」の後に「が」をつけて「このバカめが」のように用いることもできます。

一般的に、日本語で誰かを罵るひとつの型として、「名詞1＋の＋名詞2＋（め）が」というものを見出すことができ、他の言語の似たような罵りの語句と比較するとき、多くの興味深い特徴が観察されます（Izumi and Hayashi 2018, 和泉 2019）。ここでは、言語の形に注目することも大事だ、ということを示すために、二点だけ特徴を述べておきます。

まず、こうした言語の形式は、少しでもその型に変更を加えると、まったく話者として受け入れられない結果になることがあります。「バカめ」「バカが」「バカめが」は日本語として可能な表現ですが、「*バカめめ」「*バカがが」「*バカがめ」などと、少しでも順番を入れ替えたり、不必要に繰り返したりするだけで、日本語話者としてまったく許容できない文字・音の連なりとなってしまいます。[5]

どれだけ強い悪意を持って、真剣に発話されたとしても、それが「*バカがめ」だったとすると、聞き手はおそらくキョトンとしてしまうでしょう。単に悪意がある、というだけでは罵りすら成立しないのです。

第二に、「バカ」や「嘘つき」といったそもそも否定的な内容を表す名詞でなくとも、どのような名詞でもこの型にさえはめ込めば、罵りの表現として成立します。たとえば人気職業の「データサイエンティスト」や「アイドル」ですら、「このデータサイエンティストが！」「アイドルめ！」と述べると、何らかの意味で聞き手をおとしめるようなニュアンスが出てきます。

これら特徴の観察から導かれる教訓は、悪口について考える際、明らかに悪い内容を持った独立の単語だけでなく、単語が現れる構文全体、そしてそれ自体では何をしているのかよく分からない表現（「が」や「め」など）も無視することはできない、ということです。

さらに、これらは、第1章第1節「私たちは言語のエキスパートではない」のポイントを強調するような例です。日本語話者として、「おろかものめが！」がオーケイで、「*おろかものがめ！」がアウトなことにほぼすべての人が同意するでしょうが、それがどうしてか、おそらく見当もつかないと思います。ことばについて、「きっとこうだろう」と適当に決めつけるわけにはいかないのです。

†文法的用語

では、言語の形・構造について語る際に便利な用語をここで導入しましょう。すでに使用してきた「名詞」といった一般的なものが多いですが、具体例を通じてあらためてどういうものか確認しておくのがよいでしょう。

また、大事な点として、これらは「ささがき」とか「アク抜き」のように、便宜上導入される用語であることに注意してください。これからの議論で、説明が長くなるのを避けるために、一種のショートカットとして用いられるに過ぎない、ということです（言語についての何らかの発展した科学理論の中で、こうした語彙が保持されるとは限りません。たとえば、「文」という概念は現代の生成統語論の中では登場しません）。

（1）言語表現を表すことば：「語」・「句」・「文」

a　語（単語）：「この」「アホ」「しばく」といった単独で内容が伝わるようなものや、「ど」「が」「ぞ」といった単独では内容がよく分からないようなものが含まれる。

b　句：「このどアホが」「しばくぞ」といったように、複数の単語を組み合わせたもの。次の「文」も句の一種ととらえることができる。

c　単純な文：「拙者がこのどアホをしばいた」のようなもの。

d　複雑な文：「拙者がこのどアホをしばかなかった」「もし拙者がこのどアホをしばいたら、放逐される」のように、単純な文に「ない」などを加えたり、「もし…ら、〜」といった形で複数の単純な文をつなげたりしたもの。ちなみに、これら二つの例はそれぞれ「否定文」「条件法」と名前がついている。

（2）語の代表的なカテゴリー

a　名詞：「詐欺師」「たぬき」「ひも」など人や動物やものなどに当てはまるもの。「拙者」「てめえ」といった代名詞もここに含まれる。筒井が「悪口の形容詞」と呼んでいるものの多くは名詞である。

b　形容詞：日本語の形容詞は「でかい」「うざい」など「い」で終わるものが代表的である。いわゆる形容動詞もここに含めておく。形容動詞には「邪魔だ」「下手だ」「おろかだ」「ひややかだ」などが含まれる。形容動詞は理論言語学において、"Nominal Adjective"（名詞的形容詞）と呼ばれることがあり（Nishiyama

1999)、「邪魔」「下手」などは名詞とみなすことができる。「おろか」などを名詞として使う場合、「おろかさ」のように語尾が「さ」に変わる。

c　動詞：「噛む」「死ぬ」といった行為や出来事などに当てはまる表現。多くの場合、動詞と名詞を組み合わせることによって文が成立する。例えば、「てめえのヘソ噛んで死ね」（筒井 1967, pp. 24-25）は、「てめえのヘソ」「噛む」「死ぬ」を適切な形で組み合わせている。この文では、噛むという行為の対象が「てめえのヘソ」であり、そうした動詞と結びついて文を成立させるような表現を「項」と呼ぶ。典型的な日本語の文では、項に「が」「を」「に」といった格助詞が後置される。しかし、「あいつ（を）しばいたった」や「しばいたった」だけで会話が成立するときがあるように、格助詞や項そのものが文から脱落することも多い。

d　直示語（指示語）[6]：いわゆるコソアドことばの、「こ」「そ」「あ」から始まるもの。「このケダモノはどうしようもねえな」のように、「の」がある意味「のり」となって直示語と名詞をくっつける場合もあれば、「これ持って帰れ」「こいつムカつく」などのように「これ」「こいつ」などが独立で文の項となることもある。

†タイプとトークン

ここまで言語学一般や日本語学で使われる用語を導入しました。ここで、現代哲学一般で使われる「タイプ」と「トークン」の区別も導入しておきます。

私たちは「同じ」ということばを複数の意味で使います。たとえば、ある日あなたのクラスメートが、あなたが持っているのと「同じ」シャツを着ていたとします。つまり、同じメーカーの同じデザインの、同じ「タイプ」のシャツを着ていた、ということです。

ところでその日、あなたは最寄りの駅で天狗のような人物を見たとしましょう。その人物は鼻が異様に長く、高下駄を履いて和装をしており、なんだかさっき山から降りてきたような雰囲気を醸し出しています。クラスメートもあなたに会うやいなや、駅で天狗を見たと報告してきます。あなたとクラスメートは「同じ」人（天狗？）を見たわけです。

右の事例における、「同じシャツ」の「同じ」と「同じ人」の「同じ」はまったく意味が違います。後者は、あなたが見たまさにその人をあなたのクラスメートも見たわけです。あなたが見た人はクラスメートが見た人だ、という意味で見た人が「同一人物」（同一天狗？）なわけです。

「同じシャツ」をこの「同一」の意味で解釈すると、クラスメートはあなたのクローゼットに侵入して、あなたが持つまさにそのシャツを借り出して着ていることになります（ひっっ⁉）。普通はそんなことはありえないわけで、あなたのシャツとクラスメートのシャツは違うものだけれども、それぞれ、複数生産された同じ品番のシャツのうちのひとつだ、という意味で「同じ」だということです。

「タイプ」と「トークン」は、このシャツのように同じ種類のものが複数ある場合に便利なことばです。あなたのシャツとクラスメートのシャツはある意味「同じ」です。これは、同じ「タイプ」のシャツだからそうだと考えることができます。また同時に、二つのシャツはそれぞれ「違う」ものです。この状況を、二つのシャツは同じタイプのシャツの二つの別の「トークン」だ、と述べることができます。二つのシャツはタイプとしては同一ですが、トークンとしてはまったく別のものなのです。

言語について語るとき、表現のタイプについて語っているのか、表現の具体的な現れである個別のトークンについて語っているのか、区別することが必要になります。特に、第3章で検討する表現の意味について語るときにその区別が重要になってきます。

たとえば、「わたしあの人嫌い」と誰かがつぶやいたとして、その意味は何でしょうか。

読者の誰もがその意味を理解できますが、同時にある意味、意味は分かりません。というのも、「わたし」や「あの人」が誰を指しているのか分からないため、具体的に誰が誰を嫌いなのか分からないからです。

意味が分かるが意味が分からないとは一体どういう意味でしょうか（しつこいですか?）。これは、表現のタイプとしての「わたしあの人嫌い」の一般的意味を日本語話者として理解しているが、実際に使われた個別のトークンの具体的内容は、トークンが出てきた場面についての情報が与えられていないため、よく分からない、ということです。一言でいうと、タイプの意味は分かるがトークンの意味は分からない、という状況で、ここに矛盾は一切ありません。

表現のトークンには、誰かの実際の発話や、今みなさんが読んでいる印字などが含まれます。今後私が「文」や「語句」と言わずに、わざわざ「発話」ということばを使うならば、それは表現のタイプではなくトークンについて語りたいということです。また、それぞれのトークンが現れる具体的場面のことを、「文脈」と呼ぶことにします。自然言語の数多くの表現は文脈依存的、すなわちその内容が文脈に応じて変化します。たとえば、「わたし」や「あなた」は同じ表現タイプでも誰が誰に向けてそのトークンを発話したかに応じて、内容が変化します。

以上で、頻繁に登場する用語をとりあえず導入することができました。繰り返しですが、これらの用語は便宜上導入されたもので、発展した理論の中でしっかりと定義される理論的語彙とは異なります。たとえば、「文脈」とは一体何なのか、よくよく考えると、これは難しい問いになります。複雑なケースなどを整合的に説明しながら、「文脈」をうまく特徴づけるのはかなり難しい理論的課題となります。[7] いずれにせよ、これらの用語を使いつつ、悪い言語について考えていくことになります。

3　行為による分類

†悪口の機能

悪口を分類しろと言われたならば、右のように言語の形式そのものに注目するよりも、まずはむしろ悪口を言う動機や目的、そしてその役割に注目するのではないでしょうか。

筒井も、「悪口雑言罵詈讒謗私論」で悪口の動機は社会的動機、心理的動機の二つに分けることができ、それぞれ「嫉妬、復讐、羨望、情痴、名声、金銭（職業的悪口家）」、「優越感、劣等感、気晴らし、裏がえしの自責、ナルチシズムその他の倒錯」（p. 23）などを例としてあげています。

また、たとえば日本中世史を専門とする山本幸司は、かつて全国に広く存在していた悪口祭、悪態祭についての民俗学的研究を踏まえ、悪口が持つ秩序維持的役割について強調しています（山本 2006, 第二章）。

表現タイプのみに着目していては、悪口への理解は深まりません。たとえば「おまえはアホか」という文タイプの現れが悪口かどうかは、それが使用された文脈をよく見て、誰が誰にどのような状況でどのような目的や意図を持って言ったのか、そして帰結はどのようなものなのか、観察しなければなりません。それにより、同じ文タイプでもそのトークンは明らかな罵倒だったかもしれませんし、儀礼的な漫才のツッコミだったかもしれません（あるいは、発話者が横山ホットブラザーズならば、それはノコギリの刃を叩きつつ歌うものになるわけです）。

悪口一般についてだけでなく、第6章で嘘について考えるとき、第8章で表現の規制について考えるとき、同じ論点が再浮上します。ことばの評価は、タイプ単位ではなく、トークン単位で行うべきものです。一律に、例外なく、単にことば尻がこうだから使用禁止である（その逆にいくら言っても許される）、というのは通りません。人体模型や、医学書のイラストだけを根拠にして、診察もせずに、現実の人間の体調を決めつけるようなものです。医師の診察には具体的身体が必要なように、ことばの評価にも具体的トークンが必要です。

†言語行為論に触れる

ところで、文脈によって評価が変わり、目的や意図、そしてその帰結が問題となるようなものは何でしょうか。それは私たちがすること、「行為」です。電車に乗っていて、バランスを崩して他人の足をうっかり「踏んでしまう」ことと、悪意を持って「踏む」ことは、身体の物理的挙動自体がまったく同じだったとしても、まったく違うように評価されます。

悪口は私たちのことば、言語の一部であると同時に、私たちがする行為の一種でもあるのです。ここで、「言語行為」（speech act）という概念を導入して、悪口の分類に役立てましょう。言語行為論については第5章でさらに学びますが、これは言語哲学において最も重要な理論的道具のひとつですので、繰り返し触れておきたいです。二〇世紀中葉イギリスの哲学者、ジョン・オースティン（J. L. Austin 1911–60）は、言語を話すということは何かをすることだ、ということを私たちに気づかせてくれました。この点は、悪態をつくというような場面から始めるとほとんど自明のことです。

「お前の母ちゃんデベソ」と子ども同士が言ったとして、それはどういう意味でしょうか。もちろん、「その言われた子どもの母親の、臍帯の痕跡が、何らかの基準以上に、腹部・身体前方面に向かって突出している」などという意味ではありません。そのような身体的特徴を記述したり、事実関係についての情報を伝達したりしているわけではなく、子どもは相手をからかったり、揶揄したりしているわけです。重要なのは、このように「お前の母ちゃんデベソ」と言うこと（speech）そのものが「からかう」とか「おちょくる」という行為（act）だ、という点です。子どもは「からかう」という言語行為（speech act）を行ったのです。

　しかられた子どもが、「え、何ですか？　確かに「お前の母ちゃんデベソ」と言いましたが、からかってはいませんよ。はっ。心外ですね」と抗弁しても、不誠実な言い訳となるでしょう。なぜかというと、ここで想定されているような文脈で、「お前の母ちゃんデベソ」と言うことそのものがからかうことなので、前者が成立するということが、後者が成立するということだからです。「車に乗ってエンジンをかけてアクセルとブレーキを踏んでハンドルを操作して目的地に向かいましたが車の運転はしていません」と抗弁するのが、無免許運転の言い訳にならないのと同じことです。

さて、では悪口に関係するどのような言語行為が存在するでしょうか。ここでは、網羅的であることも、体系的であることも目指さず、すでに日本語の中に対応することばが存在するもの、哲学、心理学、社会学など理論的分野で導入されてきたもの、の二つの区別を設けて列挙してみます。

(3) 悪口の言語行為

a　日本語にすでに対応する語があるもの：罵る、罵倒する、悪態をつく、おとしめる、そしる、くさす、けなす、誹謗する、中傷する、陰口を言う、辱める、からかう、馬鹿にする、揶揄する、非難する、啖呵を切る、はやしあう、呪う、など

b　理論的に用語を導入しなければならないもの：沈黙させる(silencing)、従属化させる(subordinating)、ランクづけする(ranking)、犬笛を吹く(dog-whistling)、

マンスプレインする（mansplaining）、ガスライティングする（gaslighting）など（3a）の最後の方には、他のものよりもより儀礼的要素が強そうなものを含めました。また、（3b）には、特にフェミニスト理論において指摘されてきた行為の名前を含めました。このリストを眺めるだけで、悪口の多様性、その幅広さが強く示唆されるでしょう。

また一方で、悪口という行為が、私たちの日常に深く根ざしているということも明らかではないでしょうか。「啖呵を切って」誰かを「罵倒する」ような人は少ないかもしれませんが、ちょっとくらい人を「くさしたり」「馬鹿にしたり」しない人はいないのではないでしょうか（えっ、しませんか？　それ嘘じゃないですか？　ねえ？——これは「あおる」）。

あくまで、議論の端緒として、これらの行為をあげたばかりで、必ずしもここにあがっているものすべてが、言語行為論の枠内で統一的に説明される（あるいはされるべき）という意味ではありません。しかし、これらについて考えるとき、動機・意図・理由・結果、そして個人の目的や社会での役割などについて考えなければならないことは明らかでしょう。このように多様な現れを持つ悪口というものを、行為の観点から検討しなければならないということを確認して、次に進みます。

第3章

てめえどういう意味なんだこの野郎？——「意味」の意味

刑事「石原さんは忘れるわけないですよね。元大友組の幹部ですから」
石原「てめえどういう意味なんだこの野郎ぉお！　裏切り者っていいてえのかぁあ！」

映画『アウトレイジ　ビヨンド』

「なんだもないものだ。もう少し普通の人間らしく歩くがいい。まるで浪漫的《ロマンチツク》アイロニーだ」
三四郎にはこの洋語の意味がよくわからなかった。しかたがないから、「家はあったか」と聞いた。

迷える子《ストレイ・シープ》という言葉はわかったようでもある。またわからないようでもある。わかるわからないはこの言葉の意味よりも、むしろこの言葉を使った女の意味である。

その時三四郎は美禰子の二重瞼《ふたえまぶた》に不可思議なある意味を認めた。その意味のうちには、霊の疲れがある。肉の弛《ゆる》みがある。苦痛に近き訴えがある。三四郎は、美禰子の答を予期しつつある今の場合を忘れて、この眸《ひとみ》とこの瞼の間にすべてを遺却した。

夏目漱石『三四郎』河出書房新社

1　意味を学問する

第2章では、「トークン」や「言語行為」などの用語を導入しました。この章も準備段階の側面があり、以降の議論のために言語哲学の中で重要な位置を占める「意味」について検討します。

ことばは意味を持っています。意味があるからこそ、発言が正しかったり、間違っていたり、適切であったり、不適切であったりします。失言めいたことを誰かが述べて、「え、それどういう意味ですか」「あ、いやーそういう意味ではなくてですね」とときに苦しい言い訳をすることもあるでしょう。

しかし、意味とは何でしょうか。「意味」とはどういう意味なのでしょうか。「意味」という語は日常的にかなり頻繁に使われます。ここで議論できるのは、そのうちの一部になります。まず、単語や文の意味については当然議論します。「ロマンティック・アイロニー」という句の意味やそれを含んだ文の意味などです（ところで「ロマンティック・アイロニー」って何ですか？）。

また、そうしたことばを「使う人の意味」についても最後の方で検討します。あることばを聞いたとき、字面の意味は了解できたとしても、この人は一体何が言いたいのだろうか、と疑問に思うことは、誰しも経験することだと思います。「ストレイ・シープ」という句の意味をとりあえず知っていても、そう言った「女の意味」が分からないことがあるでしょう。文字通りの意味とそれを言う「人の意味」が異なることがある、と私たちはよく知っています。だから、単に「元大友組の幹部ですから」と言った人に、「裏切り者っていいいてえのかぁあ！」とキレたりできるわけです。

†日常的な「意味」という語はバラバラのことがらを指す

私たちが「意味」ということばを使って語るものの中にはいろいろなものが含まれ、それらを統一的に理解することはおそらくできないし、その必要もないでしょう。そのため、本書では議論できないような意味もあるのです。

神経科学の哲学者パトリシア・チャーチランドは、「火」という語がバラバラの事物に当てはめられてきたということ、そして、「火とは何か」という理解が時代を経て大きく変化してきたことを指摘します（Churchland 2002, pp. 129–131）。

素朴な理解では、「火」とは、たき火など光や熱を出している、触ると火傷するようなものでしょう。また、太陽や雷など、とにかく光って熱いものも火の一種だと思えるでしょう。「太陽が燃えている」などと言いますね。蛍の光はどうでしょうか。「蛍火」(ほたるび/けいか)ということばは相当古くからあるようですし、そもそも「光」という字は人が火をかざしている姿を描いたもののようです。

日常的な感覚として、これらの事物を「火」で一括りにしても別に構わないわけですが、その一方で、現代の理科教育を受けた私たちは、これらがそれぞれかなり異なった現象であることも理解しています。「火」というものの本質──とあるものについて、それがなければそのものでなくなってしまうようなもの──を「酸化現象」として把握すると、右にあげたものだと、たき火だけが酸化を起こしており、太陽の光は核分裂、蛍の光は酵素による化学現象だということが分かっています。むしろ、金属のサビのような、ゆっくりとした酸化現象を「火」に含めてもよいわけです。

まとめると、日常的に私たちは「火」ということばでかなりバラバラの事物を指し示します。そして、厳密に学問をするような場面では、線引きをはっきりさせて、ここからここまでの現象を「火」とします、と決めてもいいわけです。

「意味」に関しても同様です。夏目漱石の『三四郎』では、主人公の三四郎が、ヒロインの美禰子の二重まぶたに意味を見つけます。またその意味のうちには「霊の疲れ」と「肉の弛み」を認めます。味わい深いですが、激しい酸化（燃焼）の専門家がオーロラや蛍火の仕組みについて語らなくてもよいように、言語を探求する私たちが「意味」で示されるものごとすべてについて語らなくてもよいわけです。

本書で、私たちは、「二重まぶたに認めた意味」、「大学で学ぶ意味」、「人生の意味」などについては議論しません。おおまかに、先にあげたような言語・ことばに関わる意味に焦点を当てます。

†「意味とは何か」という問いへの二種類の答え方

「意味とは何か」という問いに答えたいわけですが、その答え方は複数あるように思われます。あるいは、その問いには、複数の解釈を与えることが可能だと言ってもいいでしょう。「～とは何か」と尋ねられたとき、その答えの方針のようなものは単一ではなく、私たちは臨機応変に答え方を変えています。

たとえば、「CDとは何か」と聞かれたとき、「ああ、これですよ、この円盤状のプラスティックのことですよ」と物体を差し出すかもしれないし、あるいは、「ああ、昔そういう規格があってですね、音楽データを再生するためのものですよ」と答えるかもしれません。

前者は、コンパクト・ディスクとは一体何か、どのようなものか、その存在そのものを説明しており、後者は、コンパクト・ディスクとは一体何のためのものか、その役割や機能を説明しています。

どちらがより適切な、よりよい答えなのかは、その時々の場面次第です。「CD」が音楽メディアだとは知っていても、それが何なのか見当もつかない若い人に対しては、前者のような答えを出すのが適切な場合があるでしょう。

「〜とは何か」という形式の問いに対する答え方は他にもあるかもしれませんが、以下では、それはそもそも何なのか、どういう仕方で存在しているのか、触ったりできる物体なのか、それとも触ったりできるものではないのか、といったことを説明する答え方を「存在論的な答え」、それはどんな役割を果たすのか、どういう仕組みで働くのか、といったことを説明する答え方を「機能的な答え」と呼ぶことにします。

もちろん、どういう機能を持っているかが、どういう存在かに依存するときもあるので、これら二つの答え方は密接に関連していますが、「意味とは何か」という問いを議論する際には、存在論的な答えを出したいのか、機能的な答えを出したいのか、どちらかはっきりさせた方が議論がよりスムーズに進みます。

暴言や嘘やヘイトスピーチなど、悪い言語についで考えるこれからの章においても、存在論と機能双方の観点から意味に言及しますので、ここではページを割いてでも、それぞれを説明していきます。以下の第2節では意味の存在論に取り組み、第3節では意味の機能を四つに区分してみます。

2 意味の外在主義と内在主義

「意味とは〜です」と、意味がそもそもどういう存在なのか特徴づける立場は、大きく外在主義と内在主義に分けることができます。ここでの「外」と「内」は、人間の心／頭の外と内を指します。つまり、意味の外在主義者は心の外に意味が存在すると考え、内在主義者は心の中に意味が存在すると考えます。

外在主義者は、意味を具体的あるいは抽象的な事物の一種とみなし、内在主義者は、意味を心の働きの一環とみなします。伝統的に、哲学者の間では前者の考え方が優勢で、言語学者の間では後者の考え方が優勢であるように見受けられます。ここで詳細な議論はしませんが、私の考えが内在主義的見解に傾いていることは指摘しておきましょう。

†ラッセル的命題

まず外在主義的な意味のとらえ方を見てみます。（1）と誰かが誰かにすごんだとき、その中に出てくる単語「てめぇ」の意味は何でしょうか。

（1）てめぇぶん殴ってやる。

外在主義によると、「てめぇ」の意味とはその発話の聞き手となっている人物そのものとなります。確かに、話者が殴ろうとしているのはその人物であって、頭の中にある人物についてのイメージなどではありません。（1）は、「わたしが心に浮かべたあなたのイメージをこれから殴りますね、おほほ」というようなことを伝えたいわけではなく、聞き手の身体に危害を加える旨を告知しており、聞き手は実際に回避行動をとるなど、何らかの対処が必要でしょう。身体など、頭の外にあるものが意味だというわけです。

言い換えると、外在主義における意味とは「指示」あるいは「指示対象」だと考えることができます。「てめえ」によって、話者は人物を指し示しています。指し示された人やものを「指示」（あるいは「指示対象」）と呼ぶとすると、「てめえ」といった語の意味はその指示となります。意味についての外在主義は「指示主義」（referentialism）と呼ばれることもあります。

外在主義は文のレベルへも拡張することができます。（2）と誰かが吐き捨てたとき、その発話全体の意味は何でしょうか。

（2）和泉は偽善者だ。

（2）の部分である「和泉」の意味／指示は和泉その人でしょう。「偽善者だ」の部分は、世の偽善者たちが共通して持つ性質を指示すると考えることができます。はっきりとは分かりませんが、偽善者であるという性質は、「何らかの正しい理念を明確に支持しておきながら、それに違反するような行為を頻繁にする」というようなものかもしれません。外在主義的な立場のひとつは、こうした人物や性質を組み合わせた「ラッセル的命題」(Russellian proposition) が文の意味だというものです。文の部分である「和泉」と「偽善者だ」の意味、つまり和泉その人と偽善者であるという性質によって作られる特殊なものが、「和泉」と「偽善者だ」によって構成される（2）の意味となります。イギリスの哲学者バートランド・ラッセル (Bertrand Russell 1872-1970) が、若い時に提出したアイデアがもとになっているため、このような名前がついています。

「命題」という用語は、伝統的に、推論を研究する論理学におけるひとつの単位として使われてきました。推論とは「みんな偽善者だ。和泉もみんなの一人だ。だから、和泉は偽善者だ」といったものを想定してもらえば結構です。この推論に登場する（2）のような平叙文それぞれを命題とみなすこともできますし、平叙文が表す意味を命題とみなすこともできます。ところで、推論は、正しい／真である前提から、正しい／真である結論を導くためのものです。そのため、推論に登場する命題の基本的な性質のひとつとして、命題は真偽の評価が可能だ、というものがあります。命題は正しかったり間違っていたりする、あるいは、平叙文が与えられたとして、私たちは実際の状況を踏まえてそれを真だと思ったり、偽だと思ったりする、ということです。

ラッセル的命題も、真偽の評価が可能です。(2) が表す命題は、和泉が実際に偽善者の性質を発揮していれば、真であるし、そうでなければ偽となる、というわけです。ということは、命題の構成要素の多くは具体的な人やものですが、命題そのものは具体的な事実や出来事ではないことに注意してください。(2) が表す命題が事実そのものなら、命題が表された時点で、それを否定することなどできなくなってしまいます(否定させてください)。命題の構成要素である人物は、当然見たり触ったりできますが、命題そのものは抽象的な何かで、見たり触ったりはできない、ということになります。

意味についてのラッセル的外在主義をまとめると、単語は具体的な人物や性質などを意味として表し、文は、そうした人物や性質などによって作られる、抽象的命題を意味として表します。「てめえ」などの意味については、とても素直で分かりやすい考え方のように思えますが、文全体の意味について考え出すと、急に文字通り抽象的な話に変わりました。抽象的になるなら、いっそもっと抽象的に、平叙文が表す命題を、具体的事物から構成されたラッセル的命題ととらえるのではなく、可能世界の集合ととらえることも可能です。

ただし、可能世界の話へと移る前に、ここで一旦、意味の外在主義を採用する動機と帰結についても触れておきましょう。

†意味の公共性

ことばの意味をその指示対象と同一視する、外在主義的な立場を採用するひとつの大きな利点は、それにより言語の公共性を直接的に担保できる、というところです。特にフレーゲやラッセルといった、一九世紀から二〇世紀にかけて活躍した言語哲学者たちは、数学や経験科学を発展させるために言語哲学に取り組みました。「すべての自然数には後続する自然数がある」といった文の正しさをいかにして証明するのか、といったことに関心があったのです。

もし、文の意味が客観的な指示対象ならば、「すべての自然数には後続する自然数がある」「いや、違う」などと数学者同士が議論をしているとき、そうした発言の内容が噛み合っていることが了解できます。それが何であれ、自然数について語りつつ、その特徴について議論しているのです。意味の外在主義とは、言語の公共性を説明するために、言語の意味そのものが公共的そして客観的なものだとする発想なのです。

一方、文の意味がたとえば個人の心のイメージであったとしたら、数についての議論などという公共的な作業はどのように成立するのでしょうか。「自然数」という語が心に喚起するイメージは人それぞれでしょう（私は中学校か高校の教室をなんとなく思い出しますが、みなさんはどうですか？）。しかし、数学をしているとき、私は私の「自然数」についてのイメージについて語りたいわけではないのです。

さらに、意味の外在主義からただちに導かれるひとつの帰結は、ことばの意味の詳細について、話者がコントロールできるわけではない、ということです。「そのような意味で申し上げたつもりはない」「そのような意味でとられたとするならば、ご迷惑をおかけして申し訳ない」などといった、謝罪にもならない言い訳を耳にすることがあるかと思います。

これらがどうして謝罪になっていないかというと、ことばの意味――どの語句が何を指示しているのかということ――は公共的で客観的な事実であり、個人がコントロールできる出来事の範囲を超えているからです。

さらに、意味が心の中のイメージなどでないならば、その話者に意味が何かを教えてもらう筋合いすらありません。フルーツサンドを買ってきて食べるとき、それがおいしいかどうかは、そのフルーツサンド自体にかかっています。フルーツサンド職人の心意気、深層意識について延々と語られても困ってしまうわけです。同じように、誰かがもし「不適切」な発言をしたならば、そこで表現された公共的内容が不適切だったということであり、発言者の深層心理や生い立ちなどが出る幕はほとんどありません。どれだけ崇高な心意気とともに作られたとしても、まずいフルーツサンドはまずいのです。

意味の公共性については、表現規制を考える第8章においても再び考えてみます。

†可能世界の集合としての命題

話を「可能世界」という概念を使って意味を理解しようとする外在主義に戻しましょう。「可能世界」(possible world)という用語自体の解説は他にもたくさんありますので、そちらに譲ります(和泉 2016, pp. 109-111; 飯田 1995; 八木沢 2015)。ここでは、世界がそうでありうるようなあり方、というような解釈で用います。「可能世界」ではなく単に「可能性」ということばを使ってもそれほど困りません。ただ、世界全体がどうなっているかの可能性、というふうに理解してください。さて、可能世界の集まり、集合で、文の意味を表すことができます。どういうことでしょうか。

(2)のような名誉毀損となるかもしれない誹謗中傷を考えます。なんなら、(2)よりも（3）の方が生々しく中傷らしいような気がしますので、これを例としましょう。

（3）和泉が脱税をしている。

日本の刑法において、名誉毀損と侮辱は区別されています（浅田 et al. 2020, pp. 192-193）。基本的には、前者は脱税をしているといった事実に関わる中傷で、後者は「バーカ」といった単なる罵りも含まれます。

（3）と言って中傷する話者は何をしているのでしょうか。もちろん話者は和泉の名誉を毀損、評判を下げようとしていますが、そのために、事実を報告しているわけです。ある事実が成立している、和泉のせいで世界がちょっと嫌な感じになっている、と伝えることにより、和泉の評判を下げようとしています。

実際に和泉が脱税をしていたら、そんな人とは友達になりたくないかもしれません。世界がどうなっているか（と考えるか）に応じて、私たちは行動や態度を変化させます。（3）は、和泉についての非常にローカルな話ですが、広く考えれば、世界がどうなっているのかということを（虚偽かもしれませんが）伝えています。これを「可能世界」のことばで言い換えると、話者は、和泉が脱税している可能世界が成立している、それが現実なのだ、と伝えているということになります。

世界の可能なあり方を考えると、非常に多くの、少なくとも想像可能な可能世界があります。和泉が脱税をしている可能世界（現実ではない！）、和泉が脱税をしていない可能世界（現実！）、二〇二〇年東京オリンピックが予定通り行われた可能世界（現実ではない！）、ペンギンが空を飛ぶ可能世界（現実ではない！）、日本の首相がずっと男性である可能世界（つらい現実！）などなど、実際に成立している可能世界、成立していない可能世界が膨大に存在するように思われます。

そうした可能世界がものすごい数あるので、だいたいの文の意味を、可能世界の集まりによって区別することができます。[8] 可能世界のすべてを考え、それを和泉が脱税をしている世界と、そうでない世界の二つに切り分けます。和泉が脱税をしている世界すべての集まりを、（3）が表す命題とするのが、可能世界の集合を文の意味とする、ということです。

和泉が脱税をしている世界すべての集合は、（3）の意味をうまく表しています。というのも、その集合に含まれる世界のたったひとつの共通点が、和泉が脱税をしているという事実に他ならないからです。その集合の中にはいろいろな世界が含まれます。日本の歴代首相に女性が含まれる世界や、首相にむしろ男性が一切含まれない世界などがあるでしょう。

一方で、集合の中のどの世界を見ても、和泉が脱税をしています。それぞれ細かに歴史など世界の詳細が違いますが、どこまで行っても和泉が脱税をしています。話者が伝えているのは、話者と聞き手が住む世界は、その集合の中に含まれている世界のどれかだということです。他のことはさておき、和泉が脱税をしていることは確かだ、私たちの住む世界はそうなっている、と伝えるのが（3）という文なわけです。

可能世界を文字通り解釈すると、それは頭の中にはなさそうです。というわけで、可能世界の集合を言語の意味とする立場も、外在主義的な立場のひとつです。しかし、ここである程度丁寧に可能世界を導入したのは、外在主義・内在主義の論争と関係なく、可能世界の道具立てが、意味のモデルを与えるために、哲学者・言語学者だけでなくコンピューター・サイエンティストなどによりずっと用いられてきたからです。

可能世界の集合そのものが意味だ、と言わなくても、可能世界の集合が文の意味に「対応している」、意味を「表している」などと言い換えることもできます。集合自体は数学的な抽象物です。気象現象を何らかの数学で記述するとき、その数学が気象そのものだとは誰も思いません。同じように、可能世界の集合を使って文の意味を記述するとき、集合が意味そのものだと思う必要はありません。可能世界の道具立ては非常に有用ですので、ここで導入しておきました。

†概念（への指令）としての意味

続いて意味の内在主義について見ていきましょう。

意味の内在主義を説明するのはある意味簡単で、これまで述べてきたことを、すべて心の中の何かで置き換えればよいだけです。たとえば、具体的人物が「てめえ」の意味ではなく、その人物に対応する心の何かが「てめえ」の意味となり、あるいは、可能世界の集合に対応する心の中の何かが文の意味となります。もちろん、その「何か」を真面目に考えなければなりませんので、意味の内在主義を展開し、擁護するのは簡単な作業ではありません。ここでは「概念」そのものを意味とみなす発想と、そうした概念を合成する指令こそが意味だとみなす発想の二つを簡単に紹介しておきます。

概念とは一般的に、人や物体などを認識して区別するためのものです。「偽善者」の概念は偽善者に当てはまる、あるいは偽善者は「偽善者」概念に含まれる、と言ってもいいかもしれません。そして「偽善者」概念は、虹とか投票所とか、偽善者ではないものには当てはまりません。つまり「偽善者」概念は偽善者とそうでないものを区別してくれるわけです。もし「偽善者」概念が心の中にあれば、私たちは、少なくとも分かりやすい場合は、偽善者とそうでないものを見分けることができるようになります。[9]

さて、単語「偽善者」も当然偽善者に当てはまり、虹とか投票所には（そして和泉にも！）当てはまりません。ところで、「偽善者」の概念はまさにそういうものでした。ですので、単語「偽善者」の意味は、心の中にある、心的概念「偽善者」だ、とする発想が自然に導かれます。単語の意味として概念が存在し、それらの概念を組み合わせて、文の意味としての概念が作られる、というわけです。もちろん、概念って何だろうか、本当にレゴブロック／ダイヤブロック（国産！）のように組み合わせることができるのだろうか、といった問いが次々と浮かびます。

より複雑な立場として、言語の意味とは概念を呼び出して、それらを組み合わせて新しい概念を作る指令のことだ、という内在主義も存在します（Pietroski 2018）。概念はヒトだけでなく、いろいろな動物も有していると考えられます。しかし、私たちが話すような言語を話す、ヒト以外の動物は存在しません。ヒト言語を、単に動物の心を外に発信するためだけのものととらえずに、動物の心に後づけされ、ヒト独自の心を作り上げる特殊なものと考える発想に、こうした立場は動機づけられています。

意味の内在主義を採用したとしても、言語の公共性が無くなってしまうわけではありません。単に、自然言語の意味を持ち出すだけでは、私たちが経験科学や数学をどのように行なっているのかうまく説明できない、ということになるだけです。言語の意味が指示でなくとも、人間は指示を行い、頭の外の事物について公共的に情報交換を行います。私たちは、内在的な意味から出発して、真偽の問える命題を認知するような動物なのかもしれません。

私たち人間の自然言語は、フレーゲやラッセルが思い描いていたような、外在主義的な意味によって定式化されるものなのでしょうか。それとももっとごちゃごちゃとした、ヒトという動物の脳のフォーマットに依存した内在主義的なものなのでしょうか。これらは独立経験的な問いであり、私たちが私たちの言語がどうあって欲しいのかという理想とは独立していることを指摘して、意味の存在論にまつわる議論の紹介を終えます。多くの論点に触れずじまいですが、意味の存在論、意味そのものは何か、という問いが、人間の言語とは何か、という問いと密接につながっていることは明らかになったかと思います[10]。

では特定の意味の存在論から少し距離を取り、意味の役割、働きはどうなっているのか、という機能的問いへと話を進めましょう。

3 意味が担う四つの機能

意味の機能的問いへの答えとして、意味には少なくとも四つの区別可能な機能的側面がある、という考えを説明していきます。「意味」と一口に言っても、何か一元的なものが存在するわけではないことは、冒頭にも述べました。

また、フレーゲも、意味について議論する際、「指示対象（Bedeutung）」、「意義（Sinn）」、「力（Kraft）」、「色合い（Färbung）」といった複数の用語を導入し、それぞれ違いがあることを強調します。フレーゲの区分に直接対応するわけではありませんが、私たちも、意味を次の四種類に区別することにしましょう。

（4）a　真理条件的内容（truth-conditional content）

b　前提的内容（presuppositional content）
c　使用条件的内容（use-conditional content）
d　会話の含み（conversational implicature）

それぞれどのような意味の働きなのか見ていきます。

†真理条件的内容と共有基盤

真理条件的内容は、右で導入した可能世界の集合に対応する意味の側面で、事実関係を伝えるような内容のことです。[11]「真理」とは仰々しいことばですが、ここでは、単に文とか発話が「あっている」「正しい」「真だ」といったことを指しています。

誹謗中傷の例で見たように、私たちが使用する多くの文や発話は、真偽の評価が可能です。（5）はそのような文でしょう。

（5）性格の悪い大学教授がいる。

そして、(5)の真理条件とは、(5)が真になるそして偽になる条件のことです。(5)が真なのは、当たり前ですが、性格の悪い大学教授が一人でもいるときです。そのような状況を目の前にすれば、私たちは(5)について、それは正しいと判断するでしょう。そして、そのような状況が成立していなければ、(5)は間違っていると判断するでしょう。

(5)の真理条件がとても当たり前に思えるのは、私たちが(5)の意味を理解しているからです。日本語の初学者で、(5)の意味がいまいちよく分からない人にとっては、そうではないでしょう。そのような人は、「(5)は正しいですか?」という質問が理解できても、(5)が正しいかどうか答えられません。そして、答えられない理由は、性格の悪い大学教授が本当にいるかどうかが分からないからではなく、(5)がどういう条件、事実関係を伝えているのかが分からないからです。(5)が正しいことを確かめるために、何をチェックしたらいいのか分からないのです。つまり、(5)の意味が分からない、ということです。文の意味と真理条件は密接に関連しています。

さて、今は「意味とは何か」という問いを機能的に解釈して検討しています。ですので、真理条件的内容の機能をもう少し深掘りしてみましょう。私たちは言語を、独り言や小説や街頭演説など、いろいろな形で使いますが、基本的な使い方として、二人かそれ以上の人間同士の会話が考えられます。そうしたいわゆるフツーの会話を出発点としましょう。たとえば、二人の学生が来学期の履修科目について情報交換しているようなとき、真理条件的内容はどのようにその会話に関わっているのでしょうか。

会話の参加者それぞれが、会話のためにお互い受け入れているだろうと思える背景的な情報の集まりを「共有基盤」(common ground)と呼ぶことにします。[12] たとえば、会話に参加しているのがどこの誰といった事柄や、本日の天気や、時事のニュースなども含まれます。今の例なら、二人が同じ大学の学生であることや、先生の名前や科目の種類などについて、ある程度情報が共有されているでしょう。会話が進むにつれ、共有基盤は徐々に変更、アップデートされていきます。四種類の意味内容は、共有基盤への関わり方の違いという観点からも区別することができます。

会話の中で、一人が(5)とまじめに言ったとします。「まじめに言った」とは、嘘ではなく、冗談でもなく、単にそのような事実を伝えよう、報告しようとしている、ということです。発話を聞いて、聞き手は特に疑う理由がないならば、ふうん、そうか、とそれを受け入れるでしょう。

共有基盤の変更という観点からこれを記述すると、次のようなものになります。まず、（5）の発話前の二人の共有基盤には、（5）の真理条件的内容は含まれていません。つまり、（5）を真にするような事実が成立している、とは共有基盤には含まれていないわけです。（5）の発話前、共有基盤には、性格の悪い大学教授がいるのかいないのかの情報は含まれていません。[13]（5）の発話は、（5）の真理条件的内容を共有基盤に組み込もうという提案だ、ととらえることができます。異論がなければ、（5）の真理条件的内容が共有基盤に組み込まれて、会話が進展していきます。

純粋に情報交換が会話の目的ならば、会話の参加者がお互い真理条件的内容を提示し、それを共有基盤にどんどん付け加え、豊かにしていく、という作業が会話になります。しかし、そのような単純な会話は現実にはほとんど存在しないと思われます。

†前提的内容

前提的内容も、可能世界の集合として表すことができる、事実に関係する内容です。ただ、真理条件的内容と異なるのは、共有基盤にその情報がもともと含まれている、という点です。情報が「前提」されているわけです。話者が何か新しい情報を提供する際、しばしば別の情報の正しさを前提としないと、話者の言っていることが意味不明になるときがあります。たとえば、次のような例を考えてください。

(6) a　給食費を盗んだのは誰だ――黙っといてやるから手を挙げろ――。
b　私の邪魔をするのをやめてくれ！
c　よかれと思ったんだけどね。お手伝いしてごめんなさいね。

(6a) のように尋ねるとき、誰かは分からなくとも、「誰かが給食費を盗んだ」ということはすでに前提とされています。共有基盤に「誰かが給食費を盗んだ」という情報が含まれていなければ、(6a) と発話することが適切にはできなくなるわけです。話者自身が「誰かが給食費を盗んだ」ということを認めないとすると、(7) のようにかなりヘンテコな結果が生じます。

(7) 給食費が盗まれたかどうかなんてワタシは知らないけど、#給食費を盗んだのは誰だ？

言語学での慣習にならい、「#」を、文法的におかしいわけではないが、その言語のネイティブ話者が文脈を踏まえておかしいと判断する、という意味で使うようにしましょう。[14] もちろん、「給食費を盗んだのは誰だ」は文法的に完璧な日本語文なわけですが、「給食費が盗まれたかどうかなんてワタシは知らない」に続くと、とても異様に感じると思います。

(6b) も見てみましょう。このように話者が述べるということは、少なくとも話者の想定の中では、「この人が私の邪魔をしている」ということは事実なのでしょう。「〜をやめる」という句そのものに、そうした情報を共有基盤に前提として組み込む効果がありそうです。(6c) の「〜してごめんなさい」も、「〜して」という部分が正しいという前提がなければ、理解できないように思えます。

(6b) も (6c) も、もし聞き手がその前提の正しさを認めていないとすると、相当押しつけがましい発言として聞こえると思います。「いや、邪魔してないし!」「いや、お手伝いなんていいもんじゃないから!」と言い返したくなるかもしれません。

相手の言っていることに対して、このような形でしか言い返すことができないのも、前提的内容の特徴です。(6c) の「〜してごめんなさい」の真理条件的内容を考えてみましょう。いつこれは真となり、偽となるでしょうか。変な質問に答えさせられている気がしませんか。「～してごめんなさい」が真になったり偽になったりするとは思えません。それはそもそも「真だ」とか「偽だ」とかいう観点から評価されるものではないからです。「話者が真摯に謝罪した」といった文ならば、直接的にその真偽が問えるでしょうが、「～してごめんなさい」という発言に対して、「いいえ、発言は偽です」とだけ返すのはとても変な気がします。一方、「～してごめんなさい」を直接否定するのではなく、その前提を取りあげてチャレンジすることは可能です。(6c)に対して、「いやいや、アンタはお手伝いなんてしてないから」と返すことはできるわけです。

†陰湿な共有基盤の動かし方

もう二つの意味の機能を導入する前に、あらかじめ、これらの分類が「悪い言語」に関して持つ帰結について述べておきます。大事なのは、真理条件的内容の提示は、共有基盤をアップデートするやり方のひとつに過ぎない、ということです。

悪口を言う方法は、「和泉はウンコだ」「和泉は脱税をしている」などとはっきり述べることだけに尽くされません。むしろ、そこまで堂々と悪口を言われたら気持ちいいかもしれません（いや、でも実際そんなことないかも——なのでやめてくださいね）。しかし、そんな言い方をしなくても、周囲の人々の認識や印象を操作することは可能です。つまり、共有基盤を別のやり方でアップデートすることができるわけです。

たとえば、「やめる」ということばを考えてみます。[15]（6b）にあるように、「やめる」という単語の使用は、言及された行為が少なくとも以前は行われていたことを前提とします。そうでなければ、「やめる」ということばを自然に使うことはできません。「わたしタバコ吸ったことないけど、#タバコやめたんだよね」は意味不明か、「え、どういうこと？」と相手の気を引く特殊な発言となるでしょう。

「やめる」のこの特徴を利用して、非喫煙者の高校生に、「あれ、タバコをもうやめたの？」などと尋ねるいじわるをするのはどうでしょうか。これは、「はい／いいえ」で答えられる質問に過ぎません。話者は積極的に「オマエは脱税をしている〜」などと糾弾したわけではなく、何も主張していません。

しかし、この質問に「はい」と答えても、「いいえ」と答えても、高校生は困った立場に陥ってしまいます。「はい、やめました」と答えたなら、喫煙の習慣があった、ということになってしまいますし、「いいえ、やめてません」と答えたなら、今も喫煙者だ、ということになってしまいます。この質問自体に「その高校生は喫煙の習慣が少なくとも過去にあった」という前提が含まれているので、この質問をされてしまった時点で、共有基盤にその内容が組み込まれてしまうのです。

もちろん、高校生は「は？　何言ってんの？　マジ意味わかんないんですけど」と言い返すこともできるでしょう。しかし、いつでもそれができるでしょうか。怖い先輩に言われたとすると、何も言い返せないかもしれません。

また、周囲で聞いている人たちの印象はどう変わるでしょうか。盗み聞きするつもりはなくても、周りの人は、「もうタバコやめたの？」という質問が聞こえてきただけで、その人物が喫煙者だと推定するでしょう。

このように、前提を利用することにより、「単に質問をするだけ」で共有基盤を動かすことができます。次に見ていく二種類の意味機能も、また異なった仕方で共有基盤を操作します。意味の働きが多様なため、悪口の言い方も多種多様になるわけです。

†使用条件的内容

真理条件的内容とも、前提的内容とも区別される使用条件的内容を導入するために、

（8a）と（8b）を比較してください。[16]

（8）a　和泉が到着した。
　　b　和泉のやつが到着しやがった。

真理条件的に二つの文がまったく同等であることはすぐに分かると思います。（8a）が正しかったら、（8b）は正しいし、（8a）が間違っていたら、（8b）も間違っています（そしてその逆もまたしかりです）。どのような事実を述べているのか、どのような可能世界が成立しているのか、という観点から、（8a）と（8b）を区別することはできないように思えます。

しかし、日本語話者なら誰もが分かるように、（8a）と（8b）は意味がまったく異なります。明らかに、（8b）には和泉を嫌悪したりあなどったりするニュアンスが込められています（よっぽどその人物にひどいことをされたのでしょうね）。この意味の違いを使用条件的内容の違いとして把握することができます。

ある文の真理条件は、その文が真となる（そして偽となる）条件でした。ある表現の使用条件は、その表現の使用が適切となる（そして不適切となる）条件です。表現の使用が適切とか不適切とはどういうことでしょうか。例として「おっと」ということばを考えてみます。[17]

『日本国語大辞典』では、「おっと」は、「急に気付いたり、驚いたり、事をしそこないそうになったりした時などに出すことば」と特徴づけられています。では、そのような状況でないとき、条件が違うときに、「おっと」を使うとどうなるか想像してみてください。（9a）は、まったく右の条件が満たされていない場合、（9b）は少しだけ条件が外れているような場合です。丸カッコの中がそれぞれの場面を記述しています。

（9）a（朝、気になっている人とすれ違った。その人は微笑んで「おはよう」と言ってくれた。自分も感じよく返そう。）
おっと！

b（私は悪役のピッチャーだ。悪役らしく、主人公のバッターへわざと死球をぶつけてやった。意図通り、太ももに痛いのをお見舞いしてやったぜ。）

おっと！　申し訳ない。手が滑ってしまいました。

（9a）のような場面で「おっと」を使うのはまったく不適切、意味不明であるように思えます。気になる人も「どういうこと？」と変な感じになるでしょう。「おっと」の使用条件がまったく満たされていないため、聞き手は、「おっと」と言うはずがない、聞き間違いだろうか、言い間違いだろうか、とすら思うでしょう。

一方、（9b）の「おっと」の使用は、不誠実な使い方と言えるでしょう。何もやりそこなってはおらず、意図通りの行為を成功させています。それにもかかわらず、外向きに「これは驚きです」というある意味「嘘」をついているようにも感じます。

（8a）と（8b）に戻ると、「和泉」と「和泉のやつ」は、結局同じ人物を指していることには変わりありませんので、真理条件的内容としては、まったく同等です。しかし、使用条件が異なるわけです。「〜のやつ」とか「馬鹿野郎」などの使用条件の詳細がどのようなものか、簡単には特定できませんが、おおよそ「話者が和泉を下に見ている」や「敵対している」といった条件となるでしょう。それらが満たされていないと、表現使用が変な感じになったり、不誠実なものとなったり、別の結果が生まれます（冗談の例、軽口の例、ツンデレの例など、いろいろ考えてみてください）。

使用条件的内容の機能は、半ば自動的な形で、共有基盤をアップデートすることだ、とみなすことができます（Murray 2014）。先ほど、前提的内容は、すでに共有基盤に含まれていると確認しました。使用条件的内容の方は、すでに含まれているわけではなく、新たに付け加えるものですが、真理条件的内容と違い、付け加え方が話者に優位だ、と言ってもいいかもしれません。

真理条件的内容ならば提案として提示され、聞き手がそれを事実として共有基盤の中に受け入れるかどうかの選択肢が与えられています。聞き手に選択肢が与えられているので、話者が必ずしも優位とは言えません。[18] しかし、使用条件的内容は、提案の段階を踏まずに共有基盤に付け加えられます。誰かが、和泉を「和泉のやつ」と真剣に呼ぶのならば、そう呼ぶことそれ自体が、話者と和泉との間の関係性を物語っています。話者が和泉に対して何か含むところがあることを、聞き手は否定することができません。「エビデンスが少ないので、それは受け入れられません」などとは返すことができないのです。[19]

使用条件的内容は、"Jap"といった差別的語彙の分析に重要な役割を果たします。その詳細は第8章で検討することにします。

†会話の含み

最後に、会話の含みを導入します。[20] 会話の含みとは、文の真理条件的内容を踏まえて、その文が発話された状況と、合理的な主体が従っている何らかの一般的な原則から、新たに導かれる内容のことです。ここで、一般的な原則とは、たとえば、「誰もまったく無関係なことは言わない」といったものです。そうしたある意味当たり前の原則と、誰が誰にどこでどう言ったかなど、発話が行われた個別の場面の具体的状況とを踏まえて、会話の含みが導かれます。

会話の含みは、多くの場合、真理条件的内容以外で、話者が聞き手に伝えようと意図した内容のことです。[21] 本章の冒頭に出てきた、「人の意味」、つまり誰かが伝えようと思ったことですね。たとえば、次のような文の発話を考えましょう。どちらも、状況によっては、真理条件的内容と異なった内容を伝えることになります。

(10) a　おじさん、今お金持ってる？

b　小さいお子さんがいらっしゃるそうですね。

まず（10ａ）は、「はい」か「いいえ」で答えられる、所持金の有無に関する二択の疑問文です。所持金があるかないかに応じて答えれば、問いに対する答えとしては適切だと言えるでしょう。しかし、街で誰か怖い人にからまれて、「あーボク今お金ないんだよなあ」などと因縁をつけられているとしましょう。そのとき、（10ａ）に対して、「はい、持っています」と答えても、「ああそうですか。答えてくれてどうもありがとう。それではごきげんよう」などと話が終わるはずがありません。（10ａ）によって話者が伝えたい会話の含みは、「持っているお金を差し出せ」という要求でしょう（もちろん、それを分かった上で、あえて上のように答えて逃げる、ということはあると思います）。

この会話の含みが、具体的状況を踏まえて、一般的原則から導かれるというのは、たとえば無意識的にでも、次のような推論を私たちは行うことができるだろう、ということです。

「一般的に、私たちはまったく目的と関係のない質問をしない。（10ａ）の話者が、単に所持金の有無という事実のみに関心があってそれを尋ねている、ということはありえない。だから、わざわざそんなことを尋ねているということは、話者の目的に関係があるのだろう。お金が欲しいようなので、聞き手に所持金があれば、それが欲しいと要求しているのだろう」このような形で、私たちは、話者の言いたいことを推論していると考えられます。

ところで、真理条件的内容と会話の含みが乖離するのはよくあることです。（10b）についても、職場の同僚により、何気ない世間話として使用されるならば、真理条件的内容と独立に会話の含みを導き出す必要はないでしょう。しかし、極道映画などで、「私はあなたの弱みを知っている」というような内容を伝えるために、（10b）が使用されることもあると思います。

会話の含みも単純な場合は、真理条件的内容と同じように、共有基盤をアップデートする提案とみなされるでしょう。真理条件的内容を受け入れ、それに応じて共有基盤をアップデートするのなら、真理条件的内容から導かれる会話の含みも共有基盤に加えないといけないでしょう。

しかし、いつでも会話の含みが簡単に導かれ、話者の意味が明確になるとは限りません。冒頭の映画における会話はどうでしょうか。刑事は本当に「お前は裏切り者だ」と言いたかったのでしょうか。それとも、それは何か暗い過去を背負う人物の深読みなのでしょうか。どこからどこまでが導出可能な会話の含みなのかということは、判断するのが難しい問題です。

これは悪口にも関連します。会話の含みも、遠回しなやり方で悪口を言うために使われるのです。いわゆる「京都弁」のように、「賑やかでなによりですね」の話者の意味が、「お前らうるさいやつやな」であるかもしれません。しかし、その話者の意味が字義通りの真理条件的内容から遠ざかると、話者には「そんなこと言ったつもりはない」という言い訳が可能になるでしょう。

さて、この章では、意味についてさまざまな角度から検討しました。細かい議論も一部含まれてしまいましたが、意味の多様性が、悪口の多様性につながっていることも確認できたかと思います。次の章では、意味一般ではなく、名前やあだ名といった、誰かを指したり、人について語るための表現に焦点を当て、悪い言語について考えてみましょう。

第4章

禿頭王と追手内洋一――指示表現の理論

エリシャはそこからベテルへ上って行った。彼が道を上っていると、少年たちが町から出て来て、エリシャを嘲笑って言った。「禿頭、上って行け、禿頭、上って行け。」エリシャは振り返り、彼らを見て、主の名によって呪った。すると、森から二頭の熊が出て来て、子どもたちのうち四二人を引き裂いた。

「列王記」下第二章（聖書協会共同訳）

1　武士を法師と呼ぶなかれ

†御成敗式目

鎌倉幕府が制定した御成敗式目には、悪口を禁止する項目が含まれています。

悪口《あっこう》の咎の事
右闘殺《とうせつ》のもとは悪口より起こる　それ重くは流罪に処せられそれ軽くは召しこめらるべきなり　問注の時悪口を吐かばすなわち論所を敵人に付けらるべし　また論所の事その理なくは他の所領を没収せらるべき　もし所帯なくば流罪に処すべきなり

（佐藤・池内 1955, p. 42, 読みやすいように漢字などを改変してあります）

「召しこめ～」は牢屋に入れられるということで、「問注の時悪口を吐かば～」とは、「裁判のときに悪口を言えば、すぐに裁判に負けたことにする」という意味のようです。悪口を言うだけで牢屋に入れられたり、流刑に処せられたり、なかなか厳しい罰が下ります。悪口は「闘殺」すなわち戦って殺してしまうことにつながり、単なることばと軽くみなされていないことは明らかです。

山本幸司『〈悪口〉という文化』（2006, pp. 208–10）では、資料に残っている事例が集められ、悪口罪として訴えが起こされた四一件の裁判が表にまとめられています。どのような悪口が言われたのか「文言不明」の訴状もあるようですが、武士がどのように呼ばれたくなかったのかが一目で分かり興味深いです。現代人の感覚をあまり読み込んでもいけませんが、確かに、悪口らしい「猛悪なり」「奸謀たり」「盗人と号す」といったものが含まれています。ドロボーだとか悪いやつだとか評価されたくないのが分かります（「無双の猛悪なり」などはもうカッコよく見えてしまいますが）。

一方で、日本史のことなど何も知らない私のような人物には、何がどう癪に障ったのかよく分からないものもたくさん見つかります。「法師」「本鳥《もとどり》を断つ」「甲乙人《こうおつにん》」「代官」などです。山本の解説に依拠して、これらがどういう意味なのか確認しておきます。

「法師」とは出家した僧侶のことです。ということは、武士ではない、武士としての地位を占めてはいないということを表します。自らの社会生活の基盤そのものが損なわれてしまうので、言われたものは「傍輩を指して法師と称するのは大悪口である」（山本 2006, p. 106）と訴えざるをえないわけです。「本鳥」も「髻《もとどり》」、つまり武士の立場の象徴であり、あいつはそれを切って出家したと述べることが、相手の社会的立場への攻撃となるわけです。

他の事例も、実際の立場や身分よりも低く見積もる、低い存在だと評している、という観点から理解することができます。「甲乙人」は、そもそもは不特定の人物を指す表現で、一般庶民の意味でも使われたそうです。つまりは名をあげるまでもないということで、武士よりも低い身分だということです。「代官」も召し使われる立場の役職であり、名を重んじる武士にとって、こうした名称で呼ばれることは裁判を起こすほどの侮辱だということです。『〈悪口〉という文化』を引用しておきましょう。

武家社会は、何よりもまず戦闘を職能とする戦士社会であり、そうした社会に普遍的な現象として、名誉感情が極度に強いという特徴を持つ。（中略）武士階層にとって、もっとも感情を刺激するのは、自己の社会的地位や身分を不当に貶めたり、名誉に関する事柄で誹謗中傷するような発言であり、それだけにそうした類の言葉を投げ掛けられれば、当事者にとっては重大問題だと感じられたからこそ、訴訟の場に持ち出されることが多かったのであろう。

（山本 2006, pp. 128–29）

以下では、まず、山本が指摘する「普遍性」にまで拡張できるかは分かりませんが、一例として、武士の次は騎士だということで、ドイツの哲学者ショーペンハウアー（Authur

Schopenhauer 1788-1860）が議論する「騎士の名誉」について見ておきましょう。その次に、「名誉」と呼ぶには仰々しいですが、社会の他の構成員と相対的にとらえる、自らの社会的立ち位置、立場の重要性について指摘することにします。

†騎士の名誉

ショーペンハウアーによると、中世以降ヨーロッパの騎士の間には名誉についてのローカルルールが成立しました。ショーペンハウアーの記述がどこまで歴史的に正確か私には分かりかねますが、面目や外聞について、現代人にとっても示唆的な論点が含まれています。

名誉とはざっくりととらえれば他者からの評判ですが、騎士の名誉が少し特殊なのは、他者の心の内に抱かれているイメージそのものはどうでもよく、その表明のみが重要だという点です。

この名誉は、私たちの価値に対する他人の思惑ではなく、ひとえに思惑の「表明」にかかっている。実際の思惑が表明された通りなのか否かはどうでもよく、ましてやそれが根拠あるものなのか否かもどうでもよい。

（ショーペンハウアー 1851/2018, p. 121）

つまり自分が相手からどう思われているか、そしてそれが実際に当てはまるかどうかは重要ではなく、自分が世間でどういうふうに語られているかが重要で、名誉はそこに依存するというのです。

周りが自分のことを嘘つきだと思っていても、そのことはどうでもよくて、そして本当に嘘つきかどうかもどうでもよく、誰かから「嘘つき」と言われてしまったかどうかがもっとも重要だということです。そして、そう表明されてしまうと、自分がそれを否定しない限りは、自分が「嘘つき」認定されたということで、名誉が損なわれてしまうわけです。騎士たるもの、なんとか名誉を回復しなければなりません。回復する手段は、相手にいかなる手段を用いてもその発言を撤回させる、あるいはこの侮辱を超える侮辱または暴力を相手に与えるというものです。

罵られるのを恥辱とすれば、罵るのは名誉ということになる。たとえば、私の相手方に真理と正義と道理があるとしよう。ところが私が罵ると、真理と正義と道理はすべて旗を巻かざるをえず、正義と道理は私の側に移り、相手方は名誉を回復するまで一時的に名誉を失う。名誉回復は、正義と道理によってではなく、撃ったり刺したりすることによって成される。したがって名誉問題において、粗暴はあらゆる他の特性を埋め合わせる、もしくは凌駕する特性である。いちばん粗暴な者の言い分が通るのだ。

(ibid., p. 128)

ショーペンハウアーは、「騎士の名誉」を「拳の名誉」と呼んでもよいと言います。侮辱されたらやり返す、ビンタされたらやり返す、ゲンコツで殴られたらやり返す、いざとなれば「神明裁判」すなわち決闘で相手を殺してしまえば名誉が保たれます。やり返さないと、「やり返さないやつ」になってしまうわけです。

まず、やり返したり倍返ししたり、復讐しないと気がすまないのは普遍的な感情なのかもしれません。しかし、それよりも私が示唆的だと考えるのは、悪口の表明に対する騎士の態度です。表明されたかどうか、他の人が見ているところで、自分がどう呼ばれた、評価されたか、という点が重要で、実際にどうかということは問題ではないのです。表明への対抗措置をただちに取らなければ、名誉が永遠に失われてしまうと騎士は考えます。これは武士にとっても同じだったかもしれません。そもそも、御成敗式目のような明文化された規則が作られたということは、そうしなければ武士たちは名誉をかけてすぐに殺し合ってしまうからでしょう。

私たちは騎士や武士ほど暴力に訴えないかもしれませんが、騎士や武士と同じように世間の意見表明を気にかけているかもしれません。私たちも、他人によって勝手に操作されてしまう、評判の目盛りのようなものがあると想定しているのではないでしょうか。

✝呼称とランキング

私たちはどうしてここまで「人からどう呼ばれるのか」を気にかけるのでしょうか。「人からどう思われているのか」ですらないことに気をつけてください。ひとつの答えは、「人からどう呼ばれるかは、私たちの社会での立場を反映しているから」というものです。部長に向かって「ねえ、課長！」と呼べば、まあ、多分イラッとさせることができますよね。会社の中での序列関係において、部長職は課長職より上位に位置づけられており、その位置を乱した呼び方をしているからです。

私たちが占める社会の中での立場はひとつではなく、複数の序列関係が交差しています。単純に年齢での序列関係、会社など組織における年功や役職での序列関係、権力差にもとづいたどちらかが命令を出しどちらかがそれに従うという序列関係などがすぐに思いつきます。時代・地域を超えればおそらくこれらは多様化し、思いもよらない序列関係が見つかるかもしれません。

本書では、いろいろな序列関係を理論的に記述するものとして、「ランキング」という語を使いたいと思います。この語を使うのは、美味しいスイーツから住みたい街から上司にしたいスポーツ選手から、あらゆるものに適用されていることばであるのと、動詞としても「ランクづける」として日常的に使われているからです。さまざまな場面で私たちはランキングを気にしますし、ランクづけを積極的に行います（そんなことないよ、と自負する人は、本当に年齢の上下というランキングまでを超越して生きているかどうか自分に聞いてみてください）。このランキングの概念が、悪口の分析において非常に重要な役割を果たすと私は考えます。

2　固有名

　人を呼ぶための代表的方法は、名前を使うというものです。私の名前は「和泉悠」で、職場などでも名前で呼ばれますし、きっと私のいないところでも私の名前が使われているでしょう（「今日の和泉の仕事はこっちからあっちに箱を運ぶことだな」「和泉は亡者のような顔をして廊下を歩いているだけのつまらない人間だ」などなど?）。

　名前を使って、特定の人物について語ることができる、というのはとても便利な能力です。私たちは時空を超えて、特定の誰かについての情報を交換します。たとえば、「アリストテレスもヒュームもレイシズムから逃れられなかった」と述べるとき、私たちは時代を超えて古代ギリシャや近世スコットランドの哲学者その人について語っていますし、「ジョー・バイデンのハラスメントの話はどうなったの?」と尋ねるとき、私たちは遠く離れた国家の政治家について語っています。もちろん、会ったこともないのにです。どうしてそんなことが可能なのでしょうか。

　ここでは、特定の人物に使用される、誰かにとって固有の名前ということで、「和泉悠」「ヒューム」「ジョー・バイデン」といった表現を固有名と呼んでおきましょう。

†二種類のあだ名

どうやって固有名を使用して特定の人物について語ることができるのか考えるために、固有名の一種でもあるニックネーム、あだ名をとりあげましょう。みなさんはどんなあだ名をつけられた、つけたことがありますか。

私の小学校の同級生に「ブンちゃん」というあだ名の男の子がいました。不思議だったのは、名前のどこにも「ブン」と呼ばれる理由が見当たらないことでした。名前が「〜ぶん」であるとか、「文」という漢字が使われているとか、そういったことはありません。きっと文鳥でも飼っていたからかと思い、ある日ブンちゃんに、どうして「ブンちゃん」と呼ばれているのか尋ねました。すると、本人もよく分からないという答えが返ってきました。そんなはずはない、と周りの同級生にも尋ねて回りましたが結果は同じです。結局、どうしてブンちゃんがそう呼ばれているのか誰も知らなかったのです。

当時は納得いきませんでしたが、よく考えてみると、そういうあだ名はありふれているでしょう。最初は何かしら理由があって、そのあだ名がつけられたのかもしれませんが、そうした名づけのきっかけのようなものはすぐに忘れ去られます。

そして、そのあだ名を使いこなすために、名づけの理由を把握しておく必要はありません。周囲の人間がその同級生を「ブンちゃん」と呼ぶのを聞いて、私も「ブンちゃん」ということばを真似したわけです。ブンちゃんについて語りたい、ブンちゃんを呼びたいときには、周りがそうするように「ブンちゃんが〜」「ブンちゃんを〜」と言えば、その同級生について語ることができるのです。

一方で、「名が体を表す」ようなあだ名もたくさんあると思います。ある日、骨折しギプスを着けて登校してきた二組の人を「二組のギプス」と呼んだり、見目の優れた一年生を「一年の姫」と呼んだりするような場合です。

これらの場合、比喩的な表現という側面はありますが（ギプス本人は人間でありギプスではなく、姫も王族ではないでしょう）、あだ名の内容が本人に当てはまります。二組に行って、ギプス（をつけている人）を探せば、誰がそのあだ名の持ち主か見つけることができます。表現の内容が、どの人物かを特定していると言ってもいいでしょう。

まとめると、あだ名には、どうしてそのように呼ばれているのか分からないものもあれば、あだ名の内容から誰のことを話しているのか分かるようなものもあります。あだ名だけでなく、固有名一般は、これら二つの側面を持っています。どちらの側面に重きを置くかに応じて、固有名の意味についての二つの異なる理論が生じてきます。

†クリプキ的理論

固有名の意味についてのひとつ目の理論は、名前の中身を一切気にせず、固有名の意味はそれを使って語られる人物や土地そのものだとします。アメリカの哲学者ソール・クリプキ（Saul Kripke 1940–）が、一九七〇年に行なった講演の中で、この理論を詳しく議論したため、これを「クリプキ的理論」と呼んでおきましょう。

クリプキ的理論は、上述のブンちゃんの例にぴったり当てはまります。もはや過去のどこかに消えてしまったわけですが、最初誰かが何らかの理由によってブンちゃんを「ブンちゃん」と呼び始めました。ひょっとしたら、「ぶんぶんバットを振るから」とか「文鳥を飼っているから」といった中身を込めてそう呼んだのかもしれません。

しかし、そうした中身は固有名の意味と無関係です。固有名の意味にとって大事なのは、その「ブンちゃん」という固有名の使用を周りが継承して、同じように同じ人物を呼ぶために使い続けた、という事実です。「いいあだ名やん」と思った周りの子どもたちが、名づけられた次の日も、その次の日も、「ブンちゃん」を使い続けます。それを聞いた別の人たちも、「ブンちゃん」を使用していきます。リレーのバトンのように、固有名の使用が長い月日や土地を超えても受け継がれていきます。

今でも、私がこうして「ブンちゃん」という表現によって、みなさんのほとんどは知らないとある人物についての情報を共有することができるのは、「ブンちゃん」の使用が継承されてきた経緯があるからです。使用のリレーをたどっていけば、いつかは最初に誰かがブンちゃんを「ブンちゃん」と呼んだその瞬間につながります。固有名の意味は、その最初の瞬間に「ブンちゃん」と呼ばれた人物に他ならない、とするのが固有名のクリプキ的理論です。

†フレーゲ的理論

固有名の意味についてのクリプキ的理論は、名前が実際に使用されてきた経緯や歴史に重きを置く立場です。一方、固有名の意味についてのフレーゲ的理論は、使用の経緯よりも、名前の中身を重視します。固有名の意味は、「二年のギプス」や「一年の姫」といったことばで表されるようなものだと考えます。

架空の例ですが、「追手内洋一《ついてないよういち》」という固有名を考えましょう。そう、みなさんご存知、一九九〇年代に『週刊少年ジャンプ』で連載されていた『とっても！　ラッキーマン』の主人公で、日本一ついていない中学生の少年です。追手内洋一は、いつも不運な出来事にみまわれ、一〇日連続で階段から転げ落ち、急な断水でトイレも使えなくなるようなアンラッキーな人物です。しかし、宇宙一ラッキーなラッキーマンがその身体に憑依することにより、大活躍をします。

さて、私は作品と同じように、追手内洋一を「日本一ついていない中学生の少年」として紹介しました。この表現は追手内洋一を記述していますので、「記述（句）」と呼んでおきましょう。私たちは固有名「追手内洋一」に記述「日本一ついていない中学生の少年」を関連づけています。追手内洋一とは誰ですか、と尋ねられればみなさんはこの記述を用いて答えるでしょう。追手内洋一は日本一ついていない中学生の少年なわけです。

フレーゲ的固有名の理論によると、固有名を使って私たちが特定の人物などについて語ることができるのは、固有名に関連づけられた記述の内容が、特定の人物を選び出してくれるからだ、となります。「日本一ついていない中学生の少年」は、日本一ですので一人しかいません。ですので、そういう人を探していくと、追手内洋一にたどり着きます。

「追手内洋一」という表現を使ってどうして特定の人物について語ることができるかというと、それが表す内容のおかげだというわけです。「二組のギプス」を使って、私たちが二組のギプスをつけている人について語るように、「追手内洋一」を使って、私たちは日本一ついていない中学生の少年について語るわけです。

†二つの理論の違い

第3章で紹介したラッセル的命題としての文の意味を踏まえて、クリプキ的理論とフレーゲ的理論の差を確認しておきます。固有名が文の中で使われるとき、それぞれの理論によると、固有名はどのような貢献を文の意味に対して行うのでしょうか。

ラッセル的命題を思い出してください。ラッセル的命題とは、具体的な人物やその性質などによって構成されています。クリプキ的立場によると、（1）という文は、追手内洋一自身とアンラッキーさという性質によって構成された命題を意味しています。

（1）追手内洋一はついていない。

一方で、フレーゲ的立場によると、（1）が表す命題に、追手内洋一その人は現れません。「追手内洋一」の意味は追手内洋一その人ではなく、「追手内洋一」に関連づけられている記述「日本一ついていない中学生の少年」の意味と同じだからです。（1）が表す命題には、ついてなさ加減において日本一だという性質、中学生だという性質などが現れますが、人物そのものは含まれません。

この意味の違いがはっきりするのは、（1）をもう少し複雑にした、次のような文を考える際です。

（2）奇麗田見代《きれいだみよ》は追手内洋一がついてないと知らない。

（3）奇麗田見代は追手内洋一がラッキーマンだと知らない。

（2）と（3）のような文は、（1）が表すような命題について、誰かがそれを知っている・信じている・願っているといった、どのような態度を持っているかを伝える文ですので、命題的態度報告文（propositional attitude report）などと呼ばれます。

さて、作中で（2）も（3）も正しいとします。たとえば奇麗田見代はまだ追手内洋一と出会ったばかりで、その人となりをよく知らないとしましょう（ちなみにお分かりだと思いますが奇麗田見代はとてもキレイだという設定です）。また、ラッキーマンに命を救われても、実は追手内洋一が変身してラッキーマンになっていたとは露ほども考えなかったとしましょう（スーパーヒーローものらしく、（3）は本当に正しかったような気がします）。

まず、クリプキ的理論にとって、（2）は問題ありませんが、（3）が正しいことはまったく予想外となってしまいます。クリプキ的理論によると、「追手内洋一」も「ラッキーマン」も、その意味は人物そのものに他なりません。そして、追手内洋一とラッキーマンは融合して一心同体となりますから同じ人物です（あるいはそう想定してください。設定に詳しい人からすると少し違うのかもしれません）。

つまり、クリプキ的理論に従うと、「追手内洋一がラッキーマンだ」と言うことは、「1＝1」だとか「太陽は太陽だ」と言うようなもので、とある人物がまさにその同じ人物だと述べているに過ぎません。そしてそのようなことを、奇麗田見代が知らないはずはありません。

ですので、クリプキ的理論によれば、（3）は絶対に間違っています。しかし、もちろん（3）は普通に考えると正しいはずです。つまり、クリプキ的理論に従うと、（3）が意味していることが、私たちが（3）を読んで普通に理解することとかけ離れることになります。

今度はフレーゲ的理論の方を検討しましょう。フレーゲ的理論によると、「追手内洋一」も「ラッキーマン」も、その意味は単にとある人物というわけではなく、「日本一ついていない中学生」や「宇宙一ラッキーなスーパーヒーロー」などといった記述と同じ意味を持っています。ですので、「追手内洋一がラッキーマンだ」という文が「1＝1」のような単純な命題を表すわけではありません。したがって、フレーゲ的理論は、（3）が正しいことをうまく説明することができます。奇麗田見代が、日本一ついていない中学生が、実は宇宙一ラッキーなスーパーヒーローであることを知らないのはもっともでしょう。

しかしその一方、フレーゲ的理論に従うと、（2）の正しさが予想外となってしまいます。というのも、フレーゲ的理論によれば、固有名の意味に「ついていない」という性質が含まれており、（2）の文は、その性質を二回繰り返しただけのようなものだからです。「日本一ついていない中学生がついていない」と言うことは、当たり前ではないでしょうか。

言い換えると、（2）はむしろ、「辛いものは辛い」のような当たり前の中身を持っており、そのような当たり前のことを、奇麗田見代が知らないというのはちょっとありえない、ということになってしまうわけです。

先ほど、クリプキ的立場について述べたときと同じように、フレーゲ的理論に従うと、（2）が意味していることが、私たちが（2）を読んで普通に理解することからかけ離れることになります。

このように、クリプキ的理論にも、フレーゲ的理論にも一長一短、良いところと悪いところがあります。上述のような問題をどうとらえるべきか、どう解決したり、解消したりすべきか議論することにより、言語哲学と意味論は大きく発展してきました。ただ、日本語で読めるものだけでも、固有名の取り扱いに関しては数多くの文献が存在しますので、この辺で固有名から離れ、次へ進みたいと思います。[22]

3　確定記述

†禿頭王と定冠詞

これから、言語哲学の教科書で必ずと言っていいほど大きくページが割かれる確定記述の理論を紹介します。確定記述はすでに何度も登場しており、「日本一ついていない中学生の少年」などがその一例です。誰かを確定的に記述するような句だからそう呼ばれ、この「確定」(definiteness)は、英語の"the"やドイツ語の"der"のような、「定冠詞」(definite article)にもとづいた用語になります。たとえば、追手内洋一を表す英語の確定記述は、"the unluckiest middle school boy in Japan"などとなるでしょう。定冠詞から始まる記述なので、確定記述と呼ばれるわけです。

確定記述も悪口を言うためにずっと使われてきました。世界史の教科書に、「太陽王ルイ十四世」や「獅子心王リチャード一世」といった、ちょっとカッコよさげな二つ名、あだ名が出てきますよね。あれらは、冠詞のある言語においては、定冠詞を使って表されます("le Roi Soleil"とか"the Lionheart"です)。

岡地稔『あだ名で読む中世史』には付録として、「中世ヨーロッパ王侯《あだ名》リスト」というものが収められており、合計三〇〇人分もの王侯のあだ名が載っています。このリストがちょっとおもしろいので、少しだけ紹介します。

肥満侯デドー(Dedo der Fette/der Feiste つまり"the fat"ですね)は、「第三回十字軍に参加するべく、肥満脂肪を取る手術を受けるも失敗し、死去」とあり、アルブレヒト三世「お下げ髪」（Albrecht mit dem Zopf）は、「辮髪に似た、おさげに編んだ髪を印とする「お下げ髪騎士団」Zopfordenを設立し、自らもその髪型をしていた」そうです。他にも「黒太子」〝Edward the Black Prince〟とか「ザクセンの華」〝die Blume der Sachsen〟とか「残虐王」〝Pedro el Cruel〟とか「王殺し」〝der Königsmörder〟とか、ちょっと中二的ロマンをかきたてられるようなものがたくさんあります。いずれにせよ、〝the〟とか〝der〟といった定冠詞を用いて、特定の人物を指すあだ名を作ることができる、ということです。

　王侯貴族に与えられた二つ名の由来にはさまざまなものがありますが、右の例からも明らかなように、見た目重視なところがあります。エピグラフの聖書の話にあるように、人間は古代よりお互いを「ハゲ」と罵り合ってきたようです。

　岡地のリストにも「禿頭《とくとう》」〝der Kahle/le Chauve〟がつく人物が四人も含まれています。中には、禿頭皇帝との血筋を強調するために禿頭と名乗った者もいます。そうなってくると、「禿頭王」といったあだ名はあくまで公的な名前の一種として機能し、誰かを軽んじたりバカにしたりするために、誰かがその場の思いつきで言った、という要素が薄くなっているのがうかがえます。特定の場面で誰かを罵るということ、バカにするということがどういうことかは、第5章で検討します。以下では、確定記述の内容に関する代表的な理論を紹介します。

✝ラッセルの理論

確定記述の理論を提出した人物としてもっとも有名なのは、第3章にも登場したイギリスの哲学者バートランド・ラッセルです。ラッセルは一九〇五年の七月に「表示について」（"On Denoting"）という論文を一二日間ほどで書き上げました（Kaplan 2005, p. 970）。このときラッセルは三三歳で、一二日の間には三日の休暇をはさみ、親しい友人の死を悼みながら執筆していたと言われています。この論文は二〇世紀哲学においてもっとも影響を与えた論文のひとつです。[23]

ラッセルが確定記述の理論を考えた理由はいろいろありますが、その大きなものとして、数学を発展させたかったという動機を忘れてはいけません。数学者が数学をするとき、証明の中で「最大の素数」"the largest prime number" といった確定記述をしばしば使います。そして、証明とはとても厳密なもののはずで、その中に出てくる語句の意味があいまいだったり、人によって解釈が変わるようでは、数学の定理といったものの根拠を示すために使えなくなってしまいます。ですので、確定記述の意味とは何なのか、はっきりさせなくてはならなかったというわけです。

では、ラッセルの有名な例（5）を見てみましょう。

（5）The present king of France is bald.
「現在のフランス国王はハゲだ」

冒頭にあるように、誰かを「ハゲ」と呼ぶのは結構な侮辱なわけです。ただ、ラッセルが生きた時代にはすでにフランスに王様がいません。ですので、「現在のフランス国王」は「最大の素数」のように、それが表すものが実際には存在しないような確定記述です。誰もハゲだと言われていない、傷つく人はいないから大丈夫だ、とラッセルは思ったのかもしれません。

ところで、イギリスの哲学者ピーター・ストローソン（P. F. Strawson 1919-2006）は、ラッセルの理論を批判した論文において（Strawson 1950）、一貫して「ハゲだ」の代わりに「賢い」という形容詞を使っています。肖像写真を見る限り、ラッセルはほとんどどれもふさふさですが、ストローソンは若干頭皮が寂しいものが多いので、ひょっとしたら気にしていたのかもしれないと邪推してしまいます。

さて、もし、固有名のクリプキ的理論をそのまま確定記述に当てはめたとすると、表現の意味はそれが指し示す人やものそれ自身に他なりませんので、「現在のフランス国王」や「最大の素数」は無意味になってしまいます。そんな人やものは存在しないからです。すると、（5）や「最大の素数は存在しない」といった数学の定理まで無意味だということになってしまいます（これらの文が完全な命題を意味することはできなくなってしまうでしょう）。ですので、確定記述には先述のようなフレーゲ的理論が必要です。実は、固有名のフレーゲ的理論とは、ラッセルの確定記述の理論を固有名にも当てはめた立場だったのです。

ラッセルの理論によると、（5）が表す命題の中身が、次のように分析されます。

（6）a　少なくとも一人のxが、現在のフランス国王だという性質を持っている。

b　多くても一人のxが、現在のフランス国王だという性質を持っている。

c　xがハゲだ。

（6）は三つの文からできています。（5）のように一見単純な文でも、それが表す命題の中身がこれだけ複雑なものだ、というのもラッセルが指摘するポイントのひとつです。ですので、哲学とか数学とか科学において、確定記述を使っていろいろな議論をするわけですが、簡単だと思っていた命題が実は難しかったり、難しいと思っていた命題が実は簡単だったり、私たちはよく惑わされるので気をつけましょう、ということです。

（6a）はとある性質、「現在のフランスの国王である」という性質について語っています。その性質を実現しているものがいる、というわけです。「少なくとも一人」ですから、たくさんいるかもしれません。

（6b）は、同じ性質について、それを持っているものは多くても一人だと述べています。少なくとも一人、そして多くとも一人、ということは、（6a）と（6b）を合わせると、ちょうど一人だけいる、という内容を結局表現しています。

（6a）と（6b）を合わせて確定記述の「唯一性」（uniqueness）と呼ばれます。定冠詞は、（単数形の名詞と組み合わされる場合）記述が当てはまるものがちょうどひとつだけ文脈上ある、ということを表しているのです。

（6c）も、ハゲという性質にのみに言及しています。「x」はあくまで変数ですので、具体的な人物を指しているわけではありません。（6a）と（6b）で話されている誰でもいいxを繰り返して、その人はハゲだ、と述べています。

というわけで、（6）の分析によると（5）は、その中に特定の人物が登場するわけではないような、性質によって構成された命題を表現することになります。そのため、現在のフランス国王だという性質が当てはまる人物が本当は存在しなくても、最大の素数が本当は存在しなくても、確定記述を含む文はしっかりと命題を表し、意味をもった文となります。

まとめると、確定記述を含む文は、とある性質AとBについて、性質Aを持つものがちょうどひとつだけあり、それはまた性質Bを持つ、という性質AとBの数量にまつわる内容を意味しています。

ラッセルの記述の理論が現在でも重要なのは、それが名詞表現の内容の分析を、実際に正しいかどうかテストできるほど厳密な形で定式化している、というところにあります。ラッセルが記述の理論を提案してから一〇〇年以上が経ち、それがそのままの形で広く受け入れられているわけではありません。しかし、（6）の詳細が間違っていたとしても、

(6)をどのように作り直せば正しい分析になるのか、という観点から研究が進んできたと言えるでしょう。[24]

†日本語の問題

ここで問題になるのは、定冠詞を持たない日本語のような言語において、確定記述とは一体何だろうか、という点です。日本語には"the"のような定冠詞も"a"のような不定冠詞も存在しないため、ラッセルの記述の理論をどう適用すればよいのか分からない、という難しい問題が存在します。たとえば、(7)における句「哲学の先生」はどういう意味を持っているのでしょうか。

(7)わたしは哲学の先生が嫌い。

これを、英語なら"the philosophy professor"となっていただろう、確定記述の役割を果たしていると解釈することは可能です。おしゃべりをしていて、あの哲学の先生と仏文の先生とどっちがより嫌いか尋ねられているような場面です。そういう人が文脈上ちょうど一人いることを、話し手も聞き手も承知しており、その哲学の先生の方が嫌いだ、という意味になるわけです。

ただ、(7)が使える場面はそれだけではありません。特に具体的な誰かについて話しているわけではなく、どのような教師が一番好ましくないか協議しているのかもしれません。ある人は刑法の先生ほど細かくて迷惑なものはない、と主張するかもしれませんし、ある人は哲学者の方が鬱陶しくて耐えられない、と主張するかもしれません。英語ならば、"I don't like a philosophy professor/philosophy professors" などと言うことができるでしょう。定冠詞ではなく、不定冠詞や複数形を使うことになるわけです。

では、「哲学の先生」にはラッセルの理論が当てはまるのでしょうか、それとも当てはまらないのでしょうか。日本語話者は(7)を、無意識のうちに上手に場面場面に応じて解釈することができます。一体、日本語話者の頭の中で何が起こっているのでしょうか。

もちろん、これまでにいろいろな可能性が検討されてきました。日本語にも実は不定冠詞や定冠詞のようなものがあるとする可能性や、定冠詞がない言語でも、定冠詞の内容自体が文全体の意味を計算する際に利用されているとする可能性などです。これらの詳細を検討するためには、本格的に言語学を導入しなければなりませんので、ここではこの辺で議論を終わりとします。いずれにせよ、日本語などをどう取り扱うのかという点は、未解決の問題として残されています。この問題に興味のある人は（和泉 2020）を見てみてください。

冠詞がないことから、日本語はあいまいであるとか、論理的ではないといった憶測が述べられることがあります。まず、実際の日本語文を使い、そうした憶測をまじめに検討すると、内容的に成立しないという議論があります（飯田 2019）。

それに加え、私が指摘しておきたいのは、そもそも冠詞のない言語は世界中にいくらでもある、という事実です。日本語や東アジアの言語の多くに冠詞が見られないことはご存知の方も多いでしょうが、時代・地域を超えて無冠詞の言語はまったく珍しくありません。ある調査では、六二〇の言語のうち二一六が、英語のような定冠詞も不定冠詞も持つ言語で、一九九が日本語のような言語になります（和泉 2016, p. 205）。古語であるラテン語をはじめ、リトアニア語やポーランド語などロシア語に関係する多くの言語、ヒンディー語などインドの多くの言語、そしてアフリカ大陸・アメリカ大陸にある無数の希少言語においても、少なからず無冠詞の言語があるようです。無冠詞の言語を使うと論理的でないのなら、ラテン語で著述したキケロやカエサルはさぞあいまいで非論理的だったのでしょう。さて、もちろんここでは「そんなことはありえないので無冠詞だから非論理的だという人が間違っている」と言いたいがためにこのように述べています。しかし、そのようにはっきりと言わずに、いじわるな感じで皮肉ったわけです。次の章では、誰かを皮肉るといった語用論的行為について議論していきます。

第5章 それはあんたがしたことなんや――言語行為論

真にものを言うということは、単に何かを言うだけではない。何者かが何者かに向かって何かを言うことなのだ、という事実があまりにも忘れられている。

オルテガ・イ・ガセット著、佐々木孝訳『大衆の反逆』岩波文庫

1 語用論

†統語論と意味論

いまさらですが、「悪い言語哲学入門」というタイトルをみなさんはどう読みましたか。私たちは「悪い言語」を哲学しているのでしょうか、それとも私たちの言語哲学への入り

(1a)

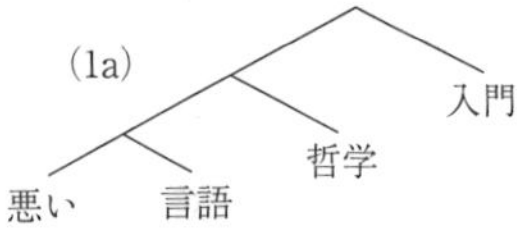

(1b)

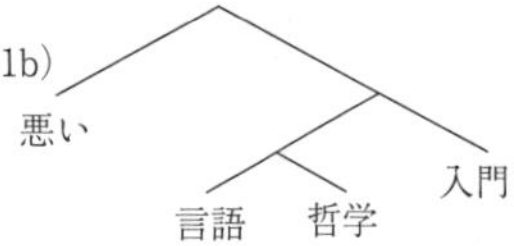

方がヘタクソ、「悪い入門」をしているのでしょうか。

このタイトルは、複数の解釈が可能という意味で、多義的であると言えます。そしてこの多義性が生まれる理由は、「悪い」という形容詞が「言語」と先に結びついているのか、それとも「入門」と結びついているのか、（1a）と（1b）のように単語の結びつきに関して異なる形を想定できるからだと考えられています（もうひとつの可能性もあります。何だと思いますか？）。

「嫌いな数学の先生」「ヤバイTシャツ工場」など、いくらでも、同じように多義的な語句を考えることができます。語句を作り上げる要素がどのように結びついているかに応じて、違う解釈が生じるというわけです。「このはし渡るべからず」のような単なるダジャレではなく、同じ単語が登場するけれども、単語の結びつき方、全体の構造が内容に影響を与えるのです。

（1a）や（1b）のような言語の形に関わる研究は「統語論」と呼ばれます。その一方で、「意味論」そして「語用論」も形ではなく意味や解釈といった内容に関わりますが、意味論は特に構造にもとづいて決定される内容に関わります。意味論研究者は統語論研究者が明らかにした言語の構造を前提として、その構造と文の部分の意味から、どのようにして文全体の意味が導き出されるのか、そのメカニズムの探究を目指しています。

たとえば、次の二つの文を比べてください。

（2）a　宮沢は勉強だけをできる。
　　 b　宮沢は勉強だけができる。

（2a）と（2b）の違いは、「を」が使われているか「が」が使われているかというちょっとしたものですが、ずいぶん言っている内容が変わってきます。

（2a）と（2b）には同じ解釈を与えることも可能です。宮沢はゲームとかYouTube鑑賞とか他のことをせずに勉強だけ集中して行うことができる、というような意味です。しかし、（2b）には（2a）にはないもうひとつ異なる意味を与えることもできます。それは、宮沢は他のことができないけど勉強ならできる、というような意味です。

統語論によると、これらは一見まったく同じ形を持った文ですが、実はかなり異なる構造を持っていることが明らかになっています。そして意味論では、「だけ」や「できる」といった単語の意味がどのように組み合わされて、日本語話者が気づくことのできる(2a)と(2b)の違いを生み出しているのか調べられています。

†意味論と語用論

統語論と意味論を組み合わせて、(2a)と(2b)の真理条件的意味がどのように導かれるのか解明したとしても、(2a)と(2b)の内容について他に言うべきことは何もない、とはなりません。たとえば、誰かが「宮沢は他のことができないけど勉強ならできる」というつもりで(2b)と言ったとして、どうしてそんなことを言ったのでしょうか。いくらでも解釈の可能性があるように思われます。

友達の優秀な宮沢を軽く揶揄したのでしょうか、それともクラスメートの宮沢についてまじめに考えて事実を報告したのでしょうか、あるいは陰口として、宮沢をおとしめようとしたのでしょうか。なぜ(2b)ということばを使用したのでしょうか。

言語がどのように使われる・用いられるのかを研究する分野は、「語用論」と呼ばれます。たとえば、第3章において、「会話の含み」と呼ばれる意味の側面をとりあげました。語用論ではたとえば、そのような字義通りの意味を超える内容がどのようにして生じるのか、というような問いが検討されます。この章では、語用論分野において重要な、第2章でも触れられた言語行為論（speech act theory）を利用して、悪口という「行為」について検討していきます。

言語行為論の導入に移る前に、二つ注意点を述べておきます。ひとつは、一般的に語用論分野には幅広い研究目的や課題が含まれており、本書で触れられているのは、言語哲学の文脈においてよく言及されるものだけに過ぎない、ということです。たとえば、「語用論」すなわち英語で"pragmatics"を次のように特徴づける人もいます。

> 最も広義のプラグマティックスは、人間の意図的行動の理解を目指す研究である。（中略）プラグマティックスは、あらゆる種類の意思伝達の手段を含むのであるが、その中には、非慣習的、非言語的、非記号的なものも含まれている。
>
> （グリーン 1990, p. 3）

自然言語の他にも、私たちの文化には何かを伝達する手段がたくさん含まれます。身振り手振りや顔の表情の読み取り、文化人類学的フィールドワークにおける儀礼や服飾の調査、病院や会社などの組織における言語使用の調査なども語用論に含まれることがあります。

すると、およそ人間と人間の文化に関わることはすべて語用論的探究になってしまいそうで、簡単に“theory of everything”（何もかも説明する究極の理論）を目指すことになりかねない、と私は少し不安を覚えますが、いずれにせよ、ここでは少なくとも言語行為にまつわる語用論的議論に焦点を当てます。[25]

もうひとつの注意点は、範囲を絞っても、どこからどこまでが意味論の守備範囲で、どこからどこまでが語用論の守備範囲なのか、はっきりとした線引きが存在するわけではないということです。

語句を用いて何らかの内容が伝えられたとして、それが意味論的な過程にもとづいているのか、語用論的な過程にもとづいているのか、専門家の意見が分かれることが多くあります。[26]意味論と語用論の守備範囲を調べること自体が研究プロジェクトのひとつになっています。ひょっとすると、統語論的構造にもとづいて意味を計算する脳の部分と、その計算結果をあらためて語用論的に利用する脳の部分は異なっているのかもしれません。語用論的探究は、人間知性の仕様について考えるエキサイティングな分野でもあると言えます。

2　言語行為論

†行為としての言語

第2章で触れたように、ここで導入される言語行為の概念は、オースティンによって検討され、二〇世期後半、特に盛んに研究されました。[27]

言語行為論の骨子は、言語の使用はいつもなんらかの行為だ、ことばを話すとはいつも何かをすることだ、というものです（Austin 1962）。オースティンが言語行為論を展開する以前は、言語のより抽象的側面が言語哲学の主要なテーマとなっていました。

二〇世紀のはじめ頃、数多くの哲学者が、物理学といった自然科学全般や数学の発展に興味を持っていました。そして、科学や数学をよりよく行うため、私たちが普段使うようなことばから離れて、あいまいさや分かりにくさをすべて捨て去った理想的な人工言語を作りはじめました。そのような人工言語を使えば、世界をより正確に記述したり、数学の証明をより厳密に表現したりできると考えたからです。言語哲学者が言語の仕組みを調べたのも、そうした人工言語を作るヒントを得ようとしていたからだと言えます。結果として、言語はいかにして真実を表すのか、どのように世界の事物と対応するのか、といった側面ばかりに哲学者は注目していました。文がいつ真となるか偽となるかの条件という、真理条件的意味内容（第3章第3節）がもっとも大事だと考えられていたのです。

オースティンによると、科学的一般化を述べたり、事実を報告したりするような、何らかの形で真理と関係する言語の使用は、私たちの言語使用の総体において、ごくごく一部に過ぎず、また特別なものでもありません。

たとえば、「今日は全国的に雨の一日でした」といったニュース番組での報告と異なり、結婚式における「誓います」という発言や、「あいつが来ない方に一〇〇〇円賭ける」という宣言などに対して、「真だ」とか「偽だ」とか、真偽の観点から評価するのはおかしいでしょう。どちらも、事実を記述したり、世界を描写したりしていないからです。

「誓います」は「私、すなわち話者であるところのこの人物が、誓うということをしている」というような、事実を報告しているものではありません。賭けの宣言も、「この人物が賭けを今まさに行うだろう」といった、予測を立てているわけではありません。

それなりにきちんとした状況で、おおまじめに、誰かに向かってこのような発言をする、という行為そのものに意味があるのです。一〇〇円を差し出しつつ「賭ける」と言うことが、賭けという取引を成立させる行為そのもので、その発言をする理由となります。このような場合に、文が事実に対応しているかどうかと考えることは、「カレーの色はうるさいかどうか」と考えるようなナンセンスさを持っています。

†情報伝達の神話

また大事な点は、私たちの言語使用のほとんどすべてが、賭けのような社会的な行為の一種であるということです。私は理論家として、言語というものそれ自体のメカニズムについて、言語行為を捨象して、ああだこうだ抽象的に吟味することは可能だと思っています。また、外国語を学ぶときに例文を書写したり音読したりすること、劇のセリフを覚えるためにぶつぶつ練習すること、こうした行動は（以下で見る発語行為と呼ばれるものの一種かもしれませんが）、誰かに向けて発言を行うわけではありませんので、社会的行為とは言えないでしょう。

しかし、それら以外について、日常生活において言語を用いて誰かとやりとりをする場面すべてで、私たちは何らかの言語行為を行なっていると言えます。挨拶をし、近況を尋ね、食事へ誘い、予定を確認し、質問に答え、約束をし、別れを告げる。こうした一連の言語行為を私たちは繰り返しています。

また、私たちはそれぞれ学生であり教員であり親であり子でありと、何らかの社会的立場を有しています（何者でもない人は何者でもないという立場を有しているでしょう）。それぞれの立場から、何らかの目的やゴールを達成するために言語行為を行います。私たちの言語使用は、純粋に抽象的な情報伝達だけを行うものではないのです。

もしみなさんが「言語使用の第一義的役目は、心の中のメッセージを相手に伝えることだ」、「頭で考えたことを記号化して、その記号を相手に受け渡して、相手に同じ考えを伝える」のように考えているとすると、それは一種の幻想あるいは神話です。少なくとも、ヒトの言語活動を極度に理想化または理念化した発想だと言えるでしょう[28]。

次のような事例がいかにありふれているか、という点を踏まえると、私たちの発言はむしろ、単に事実を述べるために使われているものの方が少ないのかもしれません。

丸カッコは誰が誰に向けて発言したのかという文脈、三角二重カッコ（《　》）は、場合によってはそう解釈できる内容を示しています。

(3) a (面接会場で面接官が面接者に)
うちの会長は元気よく挨拶できる人が好きですよ。
《ちゃんと挨拶しとけよ》

b (先輩が一年生の後輩に)
一年が掃除担当だよ。
《掃除しとけよ》

c (上司が女性の部下に)
これまで女性の管理職は一人もいません。
《わきまえろよ》

発言自体はどれも事実を説明しているだけかのように見えますが、すべて命令として十分理解できると思います。たとえば（3b）のように言って、組織から排除されたくない後輩が実際掃除をした後に、「いや、そういうつもりはなかったんだけどね。まあ掃除やりたかったんだったらいいけど」などと言われたら、みなさんまず憤慨するでしょう。

すべての証拠がこれは命令だと示唆しているとき、字面だけをとって「命令はしていない」などと言うのは子どもの言い訳以下で、それで済むなら警察はいらない、というやつです。実際、刑法における殺人教唆は、明らかに命令と解釈されるような言動にも適用され、字面で命令形が使われていないから組長さん大丈夫、などと警察は言いません。

ことばを生み出す脳の仕組みがとても理知的に探究されるとしても、ことばの使用そのものは、ヒトという社会的な動物が、社会を維持する中で行う行動の一種に過ぎません。類人猿に毛が生えた（毛が抜けた？）程度の存在である私たちが、なんだかごちゃごちゃと行っているのが言語使用です。その観点からは、言語使用が類人猿によるグルーミングの延長線上にあることは間違いありません。

私たちは、何かむにゃむにゃ言って、お互いをとりこみ、へつらい、なだめ、おどし、すかし、社会生活を維持しています。それを無視して、理性的主体が真理条件的内容のみを伝達し合っているかのように考えるのは幻想に過ぎません。

誹謗中傷をしながら、「本当のことを言っているだけ」といった言い訳をするのも、この情報伝達の神話に囚われているからでしょう。本当に「本当のことを言っているだけ」、情報を発信しているだけだったらいいのですが、以下でもさらに詳しく検討するように、原理的に、私たちは何かを言うとき、それはもう何らかの行為を行なっています。やったことの責任から逃れることはできません。

†「あんたバカぁ？」の発語（内／媒介）行為

オースティンの言語行為論を、事例を使ってもう少し踏み込んで解説しておきましょう。一九九〇年代にテレビ放映され、その後繰り返し映画化された人気アニメ作品『新世紀エヴァンゲリオン』には、「あんたバカぁ？」というセリフが何度も登場します。主要な登場人物の「アスカ」が、主人公の「シンジ」（どちらも中学生です）に向けて発するものです。

まず、このセリフが疑問文であるのは、語尾が上がる特徴的な発音のパターンから明らかです。ちいさな「ぁ」をつけていることから分かるように「バカ」を少し伸ばしつつ、文末音程を上げるように読んでください。これは一体どのような言語行為なのでしょうか。

オースティンは、こうした発言を「発語行為」、「発語内行為」、「発語媒介行為」が重なり合ったものとして理解します。まずそもそも、行為というものは世界に生じた出来事です。そしてそうした出来事は、物理的にはひとつの事象であっても、複数の仕方で記述され、理解される場合があります。

たとえば、私がスマホのロックを、タッチセンサーを使って解除したとします。私は今何をしたのでしょうか。私のしたことは、どのような行為だったのでしょうか。この行為を「指でタッチセンサーに触れた」と呼ぶことも、「スマホのロックを解除した」と呼ぶこともできます。あるいは、真っ暗な映画館だったとすると「隣の客を苛立たせた」という行為をしたのかもしれません。しかし、身体的にどのような出来事が生じたか、という観点から見ると、ただひとつの事象が存在するだけです。ひとつの出来事を、複数の異なる行為として記述することが可能なわけです。オースティンの「発語（内／媒介）行為」という区分も、同じ出来事を、関連しているが別の観点から記述している、と考えてください。

まず、「あんたバカぁ？」の使用において、「あなた」「バカ」という語を組み合わせた（疑問文ですので、文を疑問文とするための要素なども含まれているでしょう）意味を持った文を言う、という行為が行われています。これを「発語行為」と呼びます。「あなた」は聞き手を意味し、「バカ」ももちろん意味を持っています。単に発声練習をしているわけではなく、ホーミーの練習をしていたら偶然そう聞こえるような音が出てしまったのでもなく、そういう意味を持った日本語の文を、アスカがシンジに向けて使った、という行為なわけです。

ではこの発語行為を通じて、アスカは何をしたのでしょうか。疑問文ですからアスカは「質問をした」のでしょうか。「お醬油取れる？」のように、疑問を通じて誰かに（お醬油の瓶を取ってと）「お願いをした」のでしょうか。

「発語内行為」とは、「質問」や「お願い」のような、主に話者が意図してやろうとしたこと、他人から見てその人がやったとみなせるようなこと（そしてその行為の帰結の責任を取らないといけないようなこと）の観点から、発言を記述したものです。「あんたバカぁ？」が実際にどのような発語内行為なのかという問いについては、以下でもう少し詳しく検討します。

次は、「発語媒介行為」です。多くの場合、発語内行為には何らかの帰結が意図されています。「今何時ですか？」と誰かに質問するとき、質問者は、その人が今何時か教えようとする、という結果を期待しています。「前の車止まりなさい」と警官が命令という発語内行為を行うとき、警官はドライバーに止まることを了解させ、車を停止させようとしています。

ここでは「了解させる／言うことをきかせる」という行為が、発語媒介行為だと言えます。帰結・結果の観点から発言を記述しているのです。「発語内行為」の方は、結果はともかく、発語そのものがどのような行為か、というニュアンスで「内」という語が当てられています。一方、「発語媒介行為」にはその発語を「媒介」として生じる行為、というような意味合いがあります。

私たちは、人の行為を評価し責任を問うとき、多くの場合、発語内的な側面と、発語媒介的な側面の違いを無視しません。小さな子どもが、明らかに意図的に、人を傷つけるつもりで誰かを叩いたら、たとえ実際には誰も傷つかなかったとしても、「そんなことしたらダメ」と注意します。結果はどうあれ、その行為そのものを評価するわけです。

誰かの発言も、それが行為である以上、同じようにそれがそもそもどういう行為だったかという観点と、どのような結果を引き起こしたかという観点と、両方から評価しなければなりません。

さて、発語内行為としての「あんたバカぁ？」はどのような行為なのでしょうか。まず指摘されるべきは、当たり前に聞こえるでしょうが、それは文脈に依存する、ということです。

まったく同じタイプの文を同じように発言したとしても、いつどこで誰が誰に向かってどんな状況で言ったのか――すなわちトークンが位置する文脈――に応じて、まったく異なる発語内行為として理解されます。同じ文タイプを使っているから同じ行為として評価する、ということはありえません。

「お醬油取れる？」という疑問文が、本当に、お醬油が取れるかどうかという能力の有無を尋ねている場面を想像することは簡単です。たとえば、リハビリの最中、日常生活に問題がないかどうか確かめるために、食卓の醬油さしに手を伸ばしたり摑んだりする練習をしているのかもしれません。

この場面では、「お醬油取れる？」が本当に「そのような身体の動きが出来ますか？」という質問として理解されます。むしろ、「この人はお醬油が欲しいんだ」と解釈され、お醬油を用意されても困ります。リハビリの場面では「お醬油取れる？」という発言が「質問をする」という発語内行為として評価され、食事の場面では同じ発言が「お願いをする」という発語内行為として評価されることがある、ということです。「あんたバカぁ?」も、場面ごとに異なる発語内行為として評価されるべきです。それでも、「お醬油取れる?」が多くの場面でお願いとして理解されるように、「あんたバカぁ?」も作品中多くの場面で同じように理解されると思われます。

私の提案は、「あんたバカぁ?」は理論家がしばしば「表出型」として分類する言語行為の一種としてとらえようというものです。[29] 言語行為を分類する際に用いられるひとつの発想は、ことばと世界との関係の向きに注目するというものです。「主張する」や「記述する」といった行為においては、発言の内容が正しい、できるだけ正確に世界の姿かたちと一致していることが望まれます。つまり、発言を世界に合わせたいわけです。一方で、「お願いする」や「命令する」といった行為においては、発言通りに誰かが何かをすることが望まれています。世界の方を発言に合わせたいわけです。

この「向き」という観点から考えると、明らかな向きは存在しないことが表出型の特徴です。表出型によく分類されるのは「ごめんなさい」や「ありがとう」といった発言です。これらは「謝罪する」や「感謝する」という発語内行為として理解できるでしょう。たとえば、言語哲学者・論理学者のダニエル・ヴァンダーヴィーケンによると、表出型の言語行為は「私たちの社会生活において重要な、喜びや称賛や不満といった心の状態を表出、つまりは顕在化させる」(Vanderveken 1990, p. 213) ためのものです。

右記の作品で「あんたバカぁ?」と言われる側のシンジは、もじもじ、うじうじとした内向的性格の持ち主として描かれます。一方で、言う側のアスカは、きっぱりと自分の好悪を表明する外向的性格の持ち主として描かれます(もちろん作中の筋を通じて人物描写も二転三転していきますので、あくまで表面的な特徴づけであることは了解してください)。

アスカが何かを述べ、シンジが何か要領のえないことを返したときなどに、「あんたバカぁ?」が登場します。アスカは、その回答が不満である、シンジの態度に不満である、という心の状態をはっきりと表現しているわけです。そして、それを表現すること自体が発言の目的、ポイントだということです。発言の内容を世界に合わせようとしているわけでも、世界を発言に合わせて欲しいわけでも当然ありません。特に向きは存在しないのです。シンジが、「え? ぼくは全科目平均点は取ってるんだ。バカじゃないと思うよ」などと返したら、「あんたってほんとにバカね」とアスカに言われてしまうでしょう。

†罵りと悪口

もう少しアスカの「あんたバカぁ?」を掘り下げてみたいと思います。「あんたバカぁ?」や「バカシンジ」などと呼びかけるのは、「罵る」や「罵倒する」という行為だと呼べるでしょう。そして先ほどは、「あんたバカぁ?」という罵りを心の状態を表出する行為だと特徴づけました。

しかしここで、表出型の行為は単に感情を表現するだけのもので、それ以上何も言うことはないと考えると、それは間違いです。表出型に分類される行為には、「謝罪」や「感謝」や「挨拶」など、社会的にきわめて重要な種類の行為が含まれます。

たとえば、「挨拶をする」ことは、話者が相手の存在に気づいていることだけでなく、少なくとも敵対的関係には立っておらず、共存する環境でそれなりにお互い仲良くやっていきましょうね、という確認を行っていると特徴づけることができるでしょう。挨拶をしない、無視をする、という行為が、学校でも会社でもどこでも非常に深刻に受け止められるのはそのせいです。ひょっとすると、敵認定されてしまったかもしれないからです。心の状態を表明する/しない、ということには、大きな社会的含意がともないます。

†バカにする・ランクづける

では「あんたバカぁ?」にはどのような社会的含意が付随するのでしょうか。私の考えは、このような罵りの中心的機能は、誰かを自らより低く位置づける、というランクづけにあるというものです。人をバカにする、そして一般的に悪口を言うことそのものを、ランクづけるという発語内行為あるいは発語媒介行為として理解しようという発想です[30]。

誰かに向けてバカと言うことは、二種類の形でその人物を低く位置づけることにつながります。一つ目は次のようなものです。右で見たように、「あんたバカぁ?」が表出型の言語行為だとすると、それは世界の事実関係の記述を目的とした行為ではありません。しかし、また同時に、文字通り質問しているわけでも、命令しているわけでもないことも明らかなので、この疑問文は修辞的に「あんたバカね」と述べているわけです。聞き手であるシンジがバカだ、と述べている以上、「バカ」という語が表す何かがシンジに当てはまると言っているわけです。

「バカ」という語は、「よりバカ」のように、比較を許容します。誰かが誰かよりバカだったりするわけです。つまり、バカのランキングを考えることができるのです。

シンジがバカだと言われランクが下がり、アスカは出発地点のデフォルトのランクに立っているとすると、今作られた暫定バカランキング（下位がよりバカ）において、アスカはシンジよりランクが低くなることはありえません。「あんたバカね。でもそんなあんたが好きな私はもっとバカね」などと言わない限り、普通は、誰かをバカにする人の中では、自身はバカでないのでしょう。すると、やはり、「あんたバカぁ？」は聞き手をバカランキングでより下に位置づける発言となります。

「あんたバカぁ？」が誰かを低く位置づけるもうひとつのやり方は次のようなものです。そうしたトークンを、引用や冗談でなくまじめに作るということには常に、「そのような発言をしてもよい」というメタメッセージがともないます。[31]「バカ」ということばの内容だけでなく、誰かに「バカ」と言うことそれ自体に、大きな影響力があると言ってもいいでしょう。そうした発言は、発言後すぐに制裁の対象になったりしない限り、発言が向けられた人に対してそれを使ってもよいのだ、という承認を含意します。

何かについて、それをしてもよい／してはダメ、というルールを設定することができるということは、権力を持っているということです。「バカ」という単語を使用することにより、少なくとも私はこの人を「バカ」と呼んでもよい、この人がどう呼ばれるかを決めるのは私だ、という権力関係を示すことになるのです。第4章において、呼称がいかに重要なのか、という点を確認しました。そのひとつの理由は、呼び方を決められるものには権力があるからなのです。

権力というのは大事なランキングの一種です。それに影響力を行使することは、少なくとも権力者になりたい者にとってはたいへん重要な活動です。誰かをどう呼ぶ、どう呼ばないかを決めることができる権力者は、ひょっとしたら他の事柄についても決定する権限を持っているかもしれません。猿山のアルファメールがしっかりと他の猿を威嚇するのも、上級生がしっかりと下級生をどやしつけるのも、権力差をはっきりとさせるためには重要な行為です。まとめると、誰かを罵る、バカにするという行為の中心的要素は、ランキングを操作するというものです。

†いつ罵りが軽口になるのか

右の議論が、罵るという行為の必要条件はランキングを操作し、人を低く位置づけることだ、という関係性を含意するとしましょう。すると、興味深い帰結のひとつは、もし人を低く位置づけるようなことができない、ランキングの操作など関係ない、ということが文脈上明らかならば、字面上乱暴なことばが含まれていても、それは罵っている、バカにしているとはみなすことができない、ということです。

「あんたバカぁ?」に戻ります。少なくともアスカとシンジが互いの関係性を成立させていない段階において、アスカのこの発言は、右で検討してきたような、権力差の確立・維持という含意が大きいと思われます。おそらく関東方面のスラングで言うところの、「アップをかました」わけです。

しかし、二人が共に敵と戦い、友好関係が徐々に成立してきた後においては、楽しげな「あんたバカぁ?」というセリフが登場します(アニメ版第一一話)。お互いに何らかの信頼関係が存在し、私たちは同じ立場の仲間である、ということが明確なら、「今私はあなたを下に位置づけている」というメッセージは成立しようがありません。ですので、本当の罵りとしては解釈されず、アスカは口が少し悪いなあ、と解釈されるわけです。ランキングを操作しなければ、同列だという意識がしっかりと共有されているところでは、悪口も軽口にしかならないのです。当然、親友や恋人同士は、「バカだー」とか「しね〜」などと、罵りでもなんでもなく、言うことができるのです(そこに本当に、本当に、信頼関係があればの話ですが)。

また関連して、明らかに権力ランキングの低い位置に押し込められている人々が、不平等さに抵抗するために乱暴なことを言うとき、それは権力差の不均衡を是正しようとしているわけです。国王に対する悪口が、風刺となり、批評となるのはそのためです。

悪口を評価するためには、トークンが使われた文脈を吟味し、どのようなランキングが関わっているのか、ランキングの中での言う側・言われる側の位置関係はどのようなものか、ということを最低限把握しなければなりません。それなくして、悪口を適切に評価することはできないのです。

悪口や、あるいはより一般的に何か不適切とされる発言があったとき、単にどの表現タイプを使った、使っていない、ということだけに注意をそらされてはいけません。また、話者の意図も関連しますが、「どういうつもりだったか」という、ときに答えの出しようのない（自分の内面にすら確信が持てますか？）問いは煙幕となりえます。本書での検討が明らかにしたのは、権力の序列関係などが発言の評価に決定的な影響を与えるということであり、私たちはそうした広い文脈・背景をしっかりと考慮に入れるべきなのです。

第6章　ウソつけ！——嘘・誤誘導・ブルシット

「さらにまたわれわれは、真実ということを大切にしなければならない。というのも、もし先ほどのわれわれの議論が正しくて、偽りというものはほんとうに神々には無用であり、人間にとってだけ、いわば薬として役立つものであるならば、明らかに、そのようなものは医者たちに任せるべきであって、素人が手を触れてはならないものなのだ」

プラトン著、藤沢令夫訳『国家』岩波文庫

1　嘘つきは泥棒のはじまり？

保育園や幼稚園にはよく「あいさつをする」や「みんなとなかよくする」といった「おやくそく」が掲げられており、検索をすればいくらでも見つけることができます。四つくらいの標語を並べたシンプルな園もあれば、一六もの項目が並ぶ所もあります。数が増えると、「くつをそろえる」といった細かい規則が増えていきます。日本の中で何が規範となっているのか、幼児・児童が一体何を経験するのか、観察していると気づくことがたくさんあります。そうした「おやくそく」の中に、かなりの頻度で「うそをつかない」が含まれています。モーゼの十戒にも、「なんじ殺すなかれ」「盗むなかれ」などと並んで、「偽証をするなかれ」というものが入っており、殺人や窃盗に並び、嘘をつくことを禁止するのは、社会生活を営む上での基本的な発想なのかもしれません。私たちは当然、度合いはさておき、嘘をつくことは悪いことだとみなしています。

†嘘の頻度

しかし、「わたしは嘘をついたことがない」という発言が冗談として解釈されるように、まったく嘘をついたことがないという人は、本当にいたとしても、数少ない例外でしょう。では、私たちは実際どのくらい嘘をつくのでしょうか。

この疑問に関して、「日常生活における嘘」というタイトルの心理学論文（DePaulo et al. 1996）が、興味深い実験を報告しています。この実験は、参加者に誰とどのくらい話をしたのかの日誌をつけ、そして会話の中でもし嘘をつけば記録してもらう、というシンプルなものです。結果として、大学生は一日平均一・九六回（三回誰かとやりとりをするとそのうちの一回は）嘘をつく、その他の参加者は一日平均〇・九七回（五回誰かとやりとりをするとそのうちの一回は）嘘をつく、というものでした。

みなさんは報告された嘘の頻度を多いと思うでしょうか、少ないと思うでしょうか。いずれにせよ、私たちは、一日二回殺人や窃盗を行うわけではありませんので、それと比べるとガバガバの禁止事項だということが分かります。私たちは日常的に嘘をつくのです。

†何気ない嘘・善意の嘘

ただ、報告された多くの嘘はたいしたものではなく（もちろん実験の性質上、よっぽど深刻なものは報告されないでしょうが）、七〇％程度の参加者がとくに後悔しているわけではなく、「もう一度同じことをする」と答えました。

いくつか嘘の事例を見てみると、「このマフィンは人生で一番おいしいと言った」「数学の宿題全然ダメだったと言ったけど本当はメチャクチャよくできた」「今度遊びに行こうよと言ったけど行かない」など、かなり身近なものが出てきます。こうした嘘は、「あるある」の領域でしょう。友人がせっかく作ってくれたクッキーがたいしておいしくなくても、新しく買った帽子が全然似合っていなくても、「めっちゃおいしい！　最高！」、「その帽子いいやん！」などと私たちは言うでしょう。これらが嘘だとすると（以下で検討するように嘘の定義を与えることは一筋縄ではいきません）、私たちはあまり深く考えずに何気なく嘘をつきます。

また、報告された嘘の中には、相手のことを気づかったものもあります。抗がん剤治療を行なっている人物に、すごく元気そうでよかったと言ったが、本当は数週間前より状態が悪いのは明らかだった、という報告がありました。相手を落ち込ませたり、心配させたりしないために、嘘をついたのです。こうした嘘は、よい動機にもとづいているように見えることから、「善意の嘘」と呼んでもいいかもしれません。

†嘘は必ずしも悪くない

以上のような事例から明らかなように、嘘が禁止されているからといって、必ずしもすべての嘘が悪い、とは言えません。嘘は行為の一種でしょう。行為にはそれを引き起こした意図や動機と、それによって生じる結果がともないます。すると、嘘も私たちが行う他の行為と同じように、邪悪な動機によって行われ、恐ろしい結果を引き起こすものもあれば、善意から生まれ、誰にとっても望ましい結果をもたらすものもあるでしょう。

暴言や罵倒などと同じく、嘘はそれがどのような場面で使われたのか、ということを踏まえて評価されなければなりません。もちろん、子どもに規範を教える際、分かりやすさを優先し、一律に、「ひとをたたいてはいけません」「うそをついてはいけません」、といった言い方をすることに問題があるわけではありません。多くの場合、人を叩く行為は、あまり褒められたものでない動機にもとづいて、誰かが傷つく結果を引き起こすでしょう。嘘も、数多くの場面で、純粋でない意図と有害な帰結をともなっているでしょう。ですので、とりあえずダメだ、と言っておくのにも根拠があります。

2 嘘とは何か

では、そのダメだとされている嘘とは結局何なのでしょうか。「うそ」は子どもでも分かる単純なことばのひとつですので、哲学者がその定義を与えることに頭を悩ませてきた、と言うと驚かれるかもしれません。「いや、嘘の定義なんて簡単に与えられるよ。嘘とは正しくないことを言うことだ。嘘は人をだますことだ」などとみなさんは思われるかもしれません。

しかし、これらは大まかな特徴づけであって、正確な定義にはほど遠いのです。まず、最初の定義「嘘は正しくないことを言うこと」では、嘘を十分にとらえることができないのは明らかでしょう。確かに、たとえば電車の発車時刻についてなど、誰かが事実関係で誤りを述べたことに対して「あ、嘘だ」や「ごめん、嘘だった」などと言うことがあります。「嘘」ということばにはそのような用法があります。しかし、誤解や間違いや証拠不足により、事実とは異なることを発言した人に、「あなたは嘘をついた」と評価することはできません。今朝の天気予報が外れた気象予報士は、昨晩「嘘をついた」のでしょうか。一種のレトリックや冗談として、そのように記述することはありえますが、「嘘をついたな！」と真剣に気象予報士を責める人はいないでしょう。

†欺瞞としての嘘

では「嘘は人をだますことだ」という提案はどうでしょうか。単に予測が外れただけで、気象予報士は私たちをだましたり、あざむいたりしようとしたわけではありません。

誰かが嘘をつくとき、その人物（以下では「嘘つき」と呼んでおきましょう[32]）は、間違ったことを言っていることを、自分で分かっています。嘘つきは、発言が事実と一致しないのにもかかわらず、それを承知の上で、相手にはその間違った内容を信じさせようと発言を行います。人をだます、あざむくために何かを言う、これはまさに典型的な嘘だと考えられるでしょう。

この基本的な発想を少し洗練させて、次のような嘘の定義を与えることができます。

欺瞞としての嘘の定義

「AがBにpだと嘘をついた」は次のように定義される：

（1）AがBにpだと言った

（2）Aはpが正しくないと思っている

（3）Aはpだと言うことにより、Bをだましてpだと思わせようと意図した

（Michaelson and Stokke 2021, p. 109）

条件（1）は、当たり前ですが、何かを言わないと嘘をついたことにはならないことを示します。表情で人をだます、他人の指紋を残すことで警察をだます、といったように、

言語使用がともなわなくても人をだますことはできますが、そうした行為を「嘘をついた」と描写するのは、あくまで比喩的な場合だけでしょう。

条件（2）が単に「pが正しくない」でないのは、嘘つきも間違っていることがあるからです。たとえば、嘘つきが野菜の産地偽装をしようとしているとしましょう（岡本 2016, p. 175）。嘘つきは野菜が輸入品だと思っており、それを「国産だよ」と売り込みます。ただ、謎ルートから仕入れているため、嘘つきにも分からずに、回りまわって、実はその野菜は国産の高級品でありながら、「輸入品」と間違ってラベルづけされていたとしましょう。結局、嘘つきは国産品を「国産だよ」と売っていたことになります。しかし、このような場合、嘘つきに対して「嘘をついている」という評価を下すことが適切であるように思えます。

条件（3）は、誰かをだますとはどういうことか、欺瞞の意味を表しています。誰かをだますのは、わざと行う、意図的な行為です。繰り返しのポイントですが、うっかり間違ったことを述べたとき「ごめんごめん、だましちゃったね」と表現することはありえますが、単なる間違いを「欺瞞」や「あざむき」と真剣に考えることはできないでしょう。

そして、後に検討する「でたらめ／ブルシット」と大きく異なる点として、嘘は、何か特定の内容が事実だと思わせる、信じさせるためにつくものです。相手がどう思おうと、何を信じようとどうでもいいと考えている人に対して、「嘘をついた」とは言いにくいでしょう。

†真っ赤な嘘

右記の嘘の定義はずいぶんうまくいっているように思えますが、何か問題があるでしょうか。次のような例を考えてください[33]。

大戸島のカンニング

私立ハルカゼ大学は、学生の自主性を重んじ、試験中の不正行為を認定するためには、教職員によるヒアリングを行い、学生自らが不正を認めることが必要となっている。テキストなどが持ち込み禁止の期末試験で、大戸島は、カンニングペーパーから答案を書き写しているところを見つかった。大戸島が不正行為を行ったことは、テスト監督の視点からも、周囲の学生の証言からも間違いない。しかし、ヒアリングの場面において、大学の制度をよく理解する大戸島は、ゆっくりはっきり「わたしはカンニングをしていません」と述べた。没収された小さなカンニングペーパーは、「勉強用のノートをうっかり鞄にしまい忘れただけ」だという。

さて、大戸島さんは誰かをだまそうとしているでしょうか。右のように発言することにより、ヒアリングの場に居合わせた人が「そうか、大戸島はうっかりさんなだけだったんだ」と信じると思っているでしょうか。まったくそんなことはないでしょう。大戸島さんとしては、不正認定、そして単位没収や退学といった帰結を避けるために、言わなければならないことを言っているだけです。とにかく、不正を認めないことが大事なのです。この例は「欺瞞としての嘘の定義」の条件（3）を満たしません。しかし、大戸島さんは、明らかに「ウソをついた」と私たちは考えます。

このような発言は「真っ赤な嘘」、あるいは「白々しい嘘」と呼べるかもしれません。[34]特に公共の場面、法廷での証言や議会での発言などを考えると、真っ赤な嘘の事例をすぐに思いつく、あるいは見つけることができるでしょう。言質を取られない、ということが最重要事項であるならば、自分が事実とはみなさないことを、相手がそれによってだまされるとはまったく意図せずに、述べるわけです。

「大戸島のカンニング」のような事例に対して、哲学者たちは異なる対応を取ってきました。ひとつの方針は、欺瞞としての嘘の定義をおおまかには維持していくというものです。たとえば、こうした事例は（i）一見嘘に見えるかもしれないが、よく考えると「嘘ではない」と主張する、あるいは、（ii）大戸島も広い意味では人々を「だまそう」としていると主張する、といった方策が考えられます。（i）と（ii）のいずれの見解を採用するにせよ、もしそのような主張が正しいとすると、大戸島さんの事例は前述の嘘の要件を満たし、定義はおびやかされていない、ということになります。

もうひとつの方針は、欺瞞としての嘘の定義を棄ててしまい、別の形で嘘を特徴づける、というものです。たとえば、条件（3）を、「自分の発言に責任を持つ」、「その内容を保証する形で述べる」などに交換する、といったものです。たとえ誰かをだまそうと意図していなくとも、しかるべき立場にいる人物が、間違っていると思っている命題を、正しい命題として提出しているわけですので、その乖離にこそ嘘があるわけです。

3　嘘でなければいいじゃない

嘘を禁止するルールが、「もしあなたの言うことが嘘なら、それを言ってはいけない」のように、条件文として表現されるとして、これとよく似た「もしあなたの言うことが嘘でないなら、それを言ってもいい」というルールをどう思いますか。

論理学を学んだことのある人なら気づくかもしれませんが、前者は後者を論理的には導きません。後者は前者の「裏」と呼ばれ、条件文が正しくても、その裏が正しいとは限りません。「飲酒運転はいけません！」と言われたとき、「じゃあ飲酒運転じゃなければ何やってもいいんですね」とはなりません。スピード違反も、スマホを見ながら運転するのもいけません。

ところが、嘘に関しては、嘘じゃなければなんでもありですね、と言わんばかりに、「嘘」とは判定されないかもしれないが、何らかの意味で人をだましたり、人をないがしろにしたりする発言が数多く存在します。ここでは、嘘のように悪質になりうる発言の種類をいくつか紹介しておきます。

†誤誘導（ミスリード）

「嘘だ」とは言えませんが、多くの場合人をだますために使われるのが「誤誘導」あるいは「ミスリード」です。正しいことを言っているかもしれないが、誤解させ、正しくない、正確ではないことを信じさせようとするような発言です。次の例では、話し手が、そうは言ってはいませんが、三角二重カッコ（《　》）の中の内容を聞き手に思わせようとしています。

誤誘導の例

a　消防署の方から来ました。

《消防署の人だな》

（消防署の方角からやってきて、消防署から出発したとは言ってないので嘘ではない）

（岡本 2016, p. 180）

b

課題やったの？

――うん、今やってるよ。

《課題を順調に進めているんだな》

（課題をまったくやっていないが、一応何が課題か確認したという意味では、開始はしているので、現在進行形で課題を進めているわけで嘘ではない）

このような言い草が（二つ目は学生が誤誘導の例としてしばしばあげてくれるものです）、かなり厳しい言い訳であることは誰の目にも明らかだと思います。「課題をやった」と嘘をつくことが悪質な場合、「今やっている」と苦し紛れに言うことは、どれほどマシなのでしょうか。

善意の嘘の例で確認したように、動機や結果の善し悪し次第で、嘘は必ずしも悪くありません。誤誘導に関してもそれと同様に、学校の宿題程度なら、苦笑を誘って済むでしょうが、動機や結果次第で、誤誘導もきわめて悪質な行為となりえます。

たとえば、次のような例を言語哲学者ジェニファー・ソールがあげています（Saul 2012, p. 73）。誰かが遺産目当てに、ピーナッツアレルギー持ちの人を殺害しようと、ピーナッツ油で調理したエスニック風炒め物を出したとしましょう。念のための確認として「ピーナッツ入ってないよね？」と聞かれ、以下のどちらかを言ったとします。

邪悪な誤誘導と嘘の例

a　ピーナッツの粒なんて全然入ってないよ！

b　食べても絶対安全だよ！

（b）なら嘘つきです。安全ではないからです。（a）なら誤誘導です。「安全だ」とは言っていません。単に、「ピーナッツの粒が入っていない」という事実を報告しただけです。しかし、（a）と言われれば、食べても大丈夫なんだなと思うことも明らかです。

さて、この遺産を狙った人物は、（a）と言うべきでしょうか、それとも（b）と言うべきでしょうか。（a）と言ったら嘘はついていないから「マシ」でしょうか。私にはどちらでも大差ないように思えます。どちらも、自分勝手な動機にもとづいて、人に危害を加えるために行われる、非常に悪質な、悪い発言です。（a）と言おうが、（b）と言おうが、同じように罰せられるべきだと私たちは思います。

誤誘導を許容しない、という私たちの姿勢は、商品やサービスの広告に関しても現れています。いわゆる景品表示法（不当景品類及び不当表示防止法）は、厳密には虚偽でなくとも、消費者が「誤認」しかねない広告や商品の記述を禁止しています。消費者庁のウェブサイトには、あたかもブランド牛かのように見せるラベル、古紙配合率が一〇〇％であるかのように思わせるラベルなどが事例としてあげられています。[35]
「ウソぴょんは嘘つきで〜♪ コダイは大げさで〜♪ まぎらワシはまぎらわしい〜♪」と歌うJARO（日本広告審査機構）のCMをテレビやラジオで耳にした人もいるでしょう。「ウソぴょん」だけが悪者になっているのではなく、誇大広告も、紛らわしい広告も、同じように悪質だとして並列されているのです。

ですので、特におおやけの舞台で、政治家などが誤誘導でも嘘でなければそれでよい、といった態度を取ることが許容されるべきではありません（政治家たちが整備した法律がそれを許容していないのに！）。ひたすら言質を取られないようにする、厳密に言えば「嘘ではない」かもしれない発言を繰り返すというのは、嘘をことさら取りあげて禁止し、誤誘導ならまあいいかなと思ってしまう、私たちの考え方のバグをついた非常に陰湿な手法です。

†ブルシット（でたらめ）

嘘とも誤誘導とも異なる発言の種類として、「ブルシット」（“bullshit”）も存在します。辞書的には、「ブルシット」を「たわごと」や「でたらめ」と訳すことが多いですが、“bull”「雄牛」と“shit”「うんち」を組み合わせた粗野なことばでもあり、強い印象を与えるメタファーです。「クソでたらめをぶっこいている」くらいが日本語としてはしっくりくるでしょうか。もっとも、口語的には比較的頻度の高い表現でもあり、「ウソだー」「何言ってんねん！」「なんでやねん！」くらいのニュアンスを持って使われることも多いスラングです。

哲学者のハリー・フランクファート（Frankfurt 2005）は、ブルシットを、嘘や誤誘導と異なり、真実への関心を欠いたものとして特徴づけます。嘘も誤誘導も、事実に反したことを言う、あるいはほのめかすという点で、少なくとも話者が正しいと思っている事実の存在を前提としています。真実を伝えることが、自分の不利益につながるため、そこから離れようとするわけです。フランクファートによると、ブルシットはむしろ真理を度外視することにその本質があります。真理に興味がなく、間違っていることを言おうとすらしていないのです。

ブルシットがよく生み出される場面のひとつは、話すことについて実はよく知らないが、知ったかぶりをして話さなければいけない、というような状況です。みなさんは授業や面接などで（研究者のみなさんは学会発表などで）、よく分からない質問をされたとき、素直に「分かりません」と答えているでしょうか。体面を保とうとすればするほど（私も身に覚えがないわけではないと言っておきましょう）、テキトーぶっこく、すなわちブルシットで答えてしまいます。

「はい、ご質問につきましては、以前から課題として検討されてきた経緯というものがございまして、その両義的側面をよくよく熟慮してみなければ、適切な対応を与えることはできないことは十分承知しているところです。また、私たちの――」このような言い方で、なんとかその場を乗り切ろうとする人を、皆さんの周りに（あるいは中心に）見つけることはできませんか。

別に、誰かをだまそうとして、右のように述べているわけではないでしょう。時間切れを狙っているのかもしれません。賢く聞こえたいと思っているのかもしれません。その目的（本人も明確に意図した目的があるかどうか分かりません）がなんであれ、嘘をついているわけでも、事実について主張を行っているわけでもなさそうです。

ブルシットの他の例として、ドナルド・トランプ前アメリカ大統領の発言がただちに頭に浮かびます。中でも、二〇一五年、アメリカ大統領選の報道を見ていて、私は度肝を抜かれました。背景として知っておいてほしいのは、トランプは、長い間大統領を務めた元大統領バラク・オバマが実はアメリカ人ではない、という陰謀論を長年にわたって拡散していたことです。いわく「オバマはアメリカ合衆国出身ではなく、大統領になる資格はない」というわけです（もちろんこれにまともな根拠はありません）。さて、トランプは二〇一五年にツイート上において、この陰謀論を二〇〇八年にはじめたのは民主党推薦大統領候補者のヒラリー・クリントンだと非難しました。もちろん、これにもまともな根拠はありません。[36]

トランプは自分自身で、これまで知られていなかった真実を提示している、事実関係を明らかにしている、と思っていたでしょうか。そうは思えません。これまでの自分の経歴とあまりにも矛盾します。この陰謀論をたからかに唱えていたのは自分だからです。

では、トランプは嘘をついていた、あるいは誤誘導によって、誰かをだまそうとしていたのでしょうか。そうとも思えません。報道機関のファクトチェックがすぐにこのツイートを否定しました。しかし、それに何か意味があったのでしょうか。この発言の一番適切な記述は、トランプは「テキトーぶっこいている」すなわちブルシットを与えている、というものでしょう。事実関係がどうだ、という点には何の興味もないわけです。クリントンをこき下ろす、人々の溜飲を下げる、それが一番大事であって、SNS上で、そして集会において盛り上がる発言をするのが主目的なわけです。そして実際に、トランプを支持する層は盛り上がり、見事選挙に勝利し大統領の椅子をもぎとったのです。

†犬笛、隠語、その他の行為

嘘ではないが、嘘にところどころ似ている有害な言語使用は他にもあるでしょう。政治家が集会演説などで用いる表現、そしてオンライン上での言説には、「犬笛」(dogwhistle)(Saul 2018)や「隠語」(code word)(Stanley 2015, Khoo 2017)の概念を用いなければ、理解できないものがあります。

単純に特徴づけると、犬笛も隠語もどちらも、一見無害に見えるが、多層的な内容を表現し、問題含みなメッセージとして機能する言語使用です。たとえば、アメリカの政治的文脈においては、センセーショナルな福祉制度の不正受給報道などの結果、「福祉」(“welfare")という単語に、黒人一般への差別的偏見が、意味内容の一種として込められるようになった、という指摘があります(Stanley 2015)[37]。

また、こうした言語使用は、伝達される媒体の種類にも依拠して、「フェイクニュース」、「誤情報」(misinformation)や「偽情報」(disinformation)として分析されるべき事例もあるでしょう。特にオンラインを経由した言語行為(のようなもの)をいかに理解すべきか、についての研究ははじまったばかりであり、これからの研究の進展が期待されます[38]。

この章では、嘘という「悪い」言語の代表例のひとつをとりあげ、関連する概念とともに考えました。その際、特定の表現タイプに注目することはありませんでした。痛くないのに「痛っ!!」と言うように、嘘には、真理条件を持った平叙文を使わなければならない、といった縛りはありません。これと対照的に、次の第7章においては、「AはB」という特定の文タイプに焦点を当てて、その意外な複雑さを検討していきます。

第7章

総称文はすごい

『ねこはすごい』『植物はすごい』『日本の品種はすごい』『昆虫はすごい』『昆虫はもっとすごい』『魚はすごい』『ウニはすごい　バッタもすごい』『水素分子はかなりすごい』『炭素はすごい』『タンパク質はすごい！』『醤油・味噌・酢はすごい』『月はすごい』『火山はすごい』『カラダはすごい！』『筋肉は本当にすごい』『汗はすごい』『腸内細菌はすごい！』『うんちはすごい』……

（数々の書籍タイトル）

『フランス人は10着しか服を持たない』

（ジェニファー・L・スコットによる本の邦語タイトル、大和書房刊、原題“Lessons from Madame Chic: 20 Stylish Secrets I Learned While Living in Paris”）

1 主語がデカイ

「ねこはすごい」と言われれば、否定できないように思えます。また「フランス人は一〇着しか服を持たない」と言われれば、そういうものなのかな、などと思ってしまいます。しかし、今、私たちは一体何に同意したのでしょうか。猫なら、一匹残らずすべてすごい、とまで言っているのでしょうか。フランス人なら、一人残らず一〇着しか服を持たない、というのは明らかに間違っています。衣装持ちのフランス人などたくさんいるでしょう。このタイトルは単に、そういうフランス人が比較的多い、ということを意味しているのでしょうか。「AはB」という文で、私たちは一体何を伝えているのでしょうか。

オンライン上で、「主語が大きい」「クソデカ主語」といった言い方で揶揄されることばづかいがあり、こうした文の使用もそれに当てはまるでしょう。この章で取りあげるのは、主語がデカイ表現の一部である「総称文」(generics)というものです。

「主語が大きい」とされる表現には、個人的な見解を集団の総意として提示したり、一人にだけにしか当てはまらない事実を、大きな集団全体に当てはまるものとして述べる、というような語り方が含まれます。サンプルは一件なのに「私たちはみんな〜」と雑に述べるような発言です。

「われわれ」や「全員」といった表現が含まれたものは、一般的に総称文とはみなされませんので、以下では取りあげません。総称文はとてもシンプルな構文で、総称文を一切使わずにものを話したり書いたりするのはほとんど不可能に思えます。しかし、本章で、総称文の取り扱いは要注意だということを示していきます。

†総称文とは何か

では総称文とは一体何でしょうか。まずは英語と日本語の例を見てください。

(1) a Tigers have four legs.
　　トラは四本脚を持つ。
　b Giraffes have high blood pressure.
　　キリンは高血圧だ。

c　Gold is rare.

金は貴重だ。

英語は冠詞を含んだ言語ですので、文中に名詞が使われるとき、"a" や "the" と一緒に登場することが多いです。しかし、可算名詞の複数形や不可算名詞は、冠詞や "some" といった量を表現する単語などと一緒にではなく、(1a)-(1c) に見られるように単独で項として（主語や目的語として）使うことができます。

(1a)-(1c) のような文は何らかの一般化 (generalization) を表現することが多いので、"generics" と呼ばれています。[39] 動詞が現在形であることにも注目してください。何か具体的な出来事を報告しているのではなく、そのような事実がよくある、という法則性のようなものを表しています。

ちなみに、同じ内容を表現するために、定冠詞や不定冠詞を名詞と一緒に使うことも可能です。特に、動物の名前などを定冠詞とともに使う用法はかなりありふれています。"The giraffe has high blood pressure" という文は、(1b) と同じ意味を持つでしょう。しかし、以下では、言語学的には興味深い、他の構文の可能性や、構文間での細かな差異などはわきに置いて、(1a)-(1c)のような文に注目します。

(1a)-(1c)には、日本語総称文の代表的な例も併せて載せておきました。日本語の場合も、総称文は、名詞を単独で用いて、「すべての」や「その」といった修飾表現を必要としません。英語との違いとしては、格助詞の「が」ではなく「は」がもっぱら用いられるという点があります。また、日本語には「春はあけぼの」、「ぼくはウナギ」、「広島は牡蠣がおいしい」のように、「AはB」という形を持つ文が他にもたくさんありますが、今回議論するのは(1a)-(1c)のような文だけにします。

†総称文の特徴1　あいまいさ

総称文の中身についてまず指摘されるべき特徴は、総称文は量に関する含意がばらばらだという点です。「AはB」において使われている名詞Aが当てはまるもののうち、どの程度がBでなければならないのか、という条件が、文脈や他の表現に依存してころころ変わります。以下の例では、三角二重カッコの中にその違いを示しています。

（2）a　正三角形は二等辺三角形だ。
《例外なくすべてのAがB》

b　象の鼻は長い。
《大半のAがB》

c　蚊はデング熱を媒介する。
《Aの中にはBもいる》

（2a）は定義を与えている、あるいは概念を説明しているように思えます。（2a）が正しくなるためには、例外があってはなりませんし、実際正三角形はひとつ残らず二等辺三角形です。

一方、（2b）が正しくなるために、一頭の例外もなく、象の鼻がすべて長い必要はありません。事実、残念なことに、密猟などの結果鼻が短くなってしまった象が多数いるそうです。「カラスは黒い」や「猫は鳴く」も正しいですが、白いカラスもいれば、鳴いたことのない、もの静かな猫もいるでしょう。おおよそ、「大半の」や「大多数の」や「一般的には」という語を差し込むのと、同じような含意があるでしょう。[40]

今度は、(2c) について考えてみると、大多数の蚊はデング熱を運びません。そんなにたくさんの蚊がデング熱やマラリアを運んでいたら大変なことです。そういう蚊も「ときどきいる」、「まれにいる」ということを表しています。「デング熱を媒介する」、「人を襲う」、「人を刺す」といった、私たちへの危険を伝えるような述語の場合、それが当てはまるAの割合が非常に少なくても、私たちは総称文が正しいと判断する傾向を持っています(Leslie 2017)。「ライオンは人を襲う」はおそらく正しいのでしょうが、これまでに存在してきたライオンのうち、実際に人を襲ったライオンの数はきわめて少ないでしょう。

このように、同じ「AはB」という形の総称文でも、量に関してまったく異なった内容を表現します。(2a)-(2c) の例に関して、誤解を招くことはあまりなく、(2c) を例外がない定義のようなものとして解釈する人はいないでしょう。しかし、いつもそうでしょうか。あるいは、誤解されることをむしろ期待して、総称文を使ってしまうことはないでしょうか。

†トランプ流総称文の使い方

ここで、前アメリカ大統領ドナルド・トランプに再び登場してもらいます。二〇一五年の選挙演説において、メキシコからの移民に関して、次のような排外主義的な発言を行いました。日本語訳は、アメリカの排外主義に関する論文におけるものをそのまま引用させてもらいます（強調筆者）。

When Mexico sends its people, they're not sending their best.（中略）They're sending people that have lots of problems, and they're bringing those problems with us. **They're bringing drugs. They're bringing crime. They're rapists.**[41]

……メキシコがアメリカへ送ってくるのは、最良の人々ではない。そうだ。彼らが送る人々といえば、問題を抱えた奴らばかりだ。奴らは私達に問題を持ち込む。**麻薬を持ち込む。犯罪を持ち込む。強姦犯だっている。**

（南川 2018, p. 177）

複数形の代名詞"they"は"people (sent by Mexico)"「(メキシコから送られた)人々」あるいは"(Mexican) people"「(メキシコの)人々」などと解釈するのが適当です。つまり、元の発話と翻訳両方において強調されている最後三つの文は、すべて総称文だと言えます。

こうした発言は、移民と犯罪を結びつけるあからさまに排外主義的なレトリックです。しかし、それぞれの文は一体何を述べているのでしょうか。それぞれを「ウソだ!」「間違っている!」として、簡単に論駁できるでしょうか。いいえ、それはかなり難しいです。

トランプはいつでも、これらの「AはB」という文は真実を述べている、と抗弁することができます。これまでにメキシコからやってきた「人々」は、少なくとも何千万人にのぼるでしょう。その中には、罪を犯した者がごくわずかでも含まれていることは間違いありません。一件でも、たとえば麻薬の密輸が摘発された報道があれば、それを指差して、「ほら、言ったことが正しい!」と言うことができます。《Aの中にはBもいる》、《BであるAもいる》という意味では、正しいからです。[42]

しかし、「AはB」という断定を繰り返し聞くことにより、《すべてのAはB》、《大半のAはB》、あるいは少なくとも《BであるAがたくさんいる》などと思ってしまうかもしれません。あるいはそう思わせたくて、このような発言をしているのかもしれません。

そして、そう思わせながら、トランプには「そうは言っていない」という逃げ道があるのです。実際、二〇一五年当時、民主党推薦の副大統領候補者ティム・ケインは、「トランプはすべてのメキシコ人がレイプ犯だと言った」と述べ、トランプの排外主義的な言説を批判しました。ところが、このケインの発言が、ファクトチェックにより不正確だと指摘されてしまいました。確かに、トランプは「すべての」とは述べていませんので、そう言い逃れることができるのです。[43]

2 「だって女/男の子だもん」

この章冒頭の事例から明らかなように、総称文は動植物の生態について語るといった、科学的な文脈で頻繁に使われます。私が総称文の使用で問題だと考えるのは、私たちがそれを人間同士にも頻繁に使ってしまう、という点です。キリンや、ジャガイモや、黒曜石について語るかのように、「日本人は」、「アメリカ人は」、「哲学者は」、「政治家は」、「男は」、「女は」などとはじめてしまいます。しかし、私たちはジャガイモではないのです。

†総称文の特徴2　本質主義

総称文第一の特徴は、量に関するものでした。第二の特徴は、「AはB」において、AとBの間の量的関係以上の何かが表現されている、というものです。たとえば（3）を見てください。（3）は正しい一般化です。そして、現在生息するほとんどの（あるいはすべての）コアラは、習慣的にユーカリの葉を食べているでしょう。しかし、（3）は「ほとんどのAがBだ」以上の内容も表現しています。

（3）コアラはユーカリの葉を食べる。

そのことを示すために少し空想につきあってもらいます。実は、私たちが「ユーカリ」だと思っている植物は、人間の森林破壊によって二〇世紀末までには完全に絶滅したとしましょう。しかし、ユーカリによく似た植物「ユーカリモドキ」が、ユーカリの生態系をすぐに乗っ取ったので、ユーカリが絶滅したことに、植物学者もコアラ学者も誰も（コアラ自身も！）気づかなかったとします。

さらに、無難な仮想空間にするため、ユーカリモドキは味も栄養もユーカリと特に変わらず、コアラ的には何ら問題がないとしておきましょう。ですので、現在ユーカリの葉を食べているコアラは一匹も存在しないことになります。二〇〇〇年以降に生まれたコアラは、ユーカリモドキのみを食べて育ちました。

さて、この架空の状況下で（3）は正しいでしょうか。私は正しいと思います。今でも、もしユーカリの葉を出されたら、コアラはユーカリを食べます。コアラはその性質上、ユーカリを食べる生き物なのです。

このような考察から明らかになるのは、総称文は、《事実上かくかくの数量のAがBだ》、という純粋にAとBの量的関係について述べているわけではない、ということです。（3）は、コアラは胃腸の長さや歯の形状といった、コアラという動物種としての特徴を持ち、その特徴はユーカリの葉を食べるという性質を生み出している、ということも表現しているのです。

哲学において「本質」とは、それを失うと何かがその何かではいられなくなるような性質です。たとえば、三角形の本質はその名の通り角を三つ持つ形であることです。角が三つもあるのだからと、ひとつ角を取ったり、あるいは、もう一個くらいさしあげましょう、とひとつ角を増やしたりすると、もはや三角形は存在しなくなります。

こうした本質は、私たちが世界を認識するあり方においても重要な役割を果たしているようです。とある集団とそのメンバーに対して、本質のようなものを想定する、という私たちの心理的な傾向性を「心理学的本質主義」と呼びます（Gelman 2003）。私たちは（本当にそれが科学的に正しいかどうかは関係なく）いろいろな動植物や人間の集団に本質があるように考えてしまうのです。

そして、総称文と心理学的本質主義は密接に関わりあっています。（3）と述べることにより、私たちは何らかの本質をコアラに帰属しつつ、その本質が、コアラがユーカリを食べる、という特徴を生み出している、と表現しているわけです。

†名詞 vs 形容詞

総称文は必ず名詞の使用をともないます。特定の名詞を使用する、ということそのものに本質主義が関わっていることを、言語哲学者のキャサリン・リッチーが指摘しています（Ritchie 2021）。以下の（a）／（b）は、一見まったく同じことを述べているように見える、形容詞と名詞が同型の表現を使った文のペアです。

（4） a Adrianne is female.

b Adrianne is a female.

「エイドリアンは女性だ」

（5） a Dante is queer.

b Dante is a queer.

「ダンテはクィアだ」

（6） a Lorraine is blonde.

b Lorraine is a blonde.

「ロレインは金髪だ」

（7） a Frank is Black.

b Frank is a Black.

「フランクは黒人だ」

しかし、より広い文脈を検討してみると、（a）／（b）はそれぞれ異なったふるまいを示すことが分かります。たとえば、名詞として使った場合（不定冠詞の存在により（b）が名詞使用であることが分かります）、代名詞“they”を使って、「そういう人々は―」と文を続けることができますが、（a）のように形容詞として使用された場合は、同じように話を継ぐことができません。

（8）a Anna is female. *They are nurturing and gentle.
b Anna is a female. They are nurturing and gentle.
「アンは女性だ。女性はいたわりがあってやさしい」

また、一方を使用して他方を否定する、ということも矛盾なく行うことが可能です。

（9）a Meryl is blonde, but not a blonde.
b Meryl is a blonde, and she isn't even blonde!

リッチーによると、（9a）の可能な解釈は、メリルという人物の髪の毛は金髪だが、金髪ブロンド女性に関連づけられているステレオタイプや偏見にもとづいた特徴（「知的でない」「グラマーだ」など）は持っていない、といったものになります。

逆に、（9b）は、メリルは表面的には金髪でないが、その中身は金髪ブロンド女性に他ならない、というように解釈できるそうです。名詞の使用が、表面的特徴についてだけでなく、「実のところ」「その本質は」というような解釈を誘起するわけです。

興味深いことに、（4）-（9）における（a）／（b）の差異を、日本語で直接的に翻訳することはできません。そもそも、日本語形容詞を使って、ここで述べられているような集団を意味することができないからです。黒人は「黒人」であって、「黒い」ではなく、白人は「白人」であって「白い」ではありません（せめて「黒いの」といったように名詞化されなくてはならないでしょう）。以下の（10a）によって（10b）を意味するのは非常に難しいわけです。

（10）a　メリルは白い。

b　メリルは白人だ。

このような、日本語での観察はリッチーの論点を補強するように思われます。

形容詞の使用や、行為の記述にとどまるとき、私たちは表面的な特徴や一過性の出来事をとらえ、そこに「隠された」本質を見出さないかもしれません。しかし、私たちは名詞を使ってお互いを区分し、まるでそこに定常的な何かが「隠れている」かのように語ります。

「左手でボールを投げた」と述べることと、「左投げ」と誰かを記述することには、大きな違いがあります。左投げの人物は、たまたま左手でボールを投げたわけではなく、その人には、おそらく表面的には見てとることができないが、生まれつきの特性かトレーニングの結果により、すぐには変わらない左投げという性質が備わっているわけです。

「左投げ」という名詞を使い、左投げの集団を区分し、左投げ特有の本質があるように語ることに、それほど不都合はないかもしれません。たとえば、野球において「左投げは左打ちに強い」という命題は広く受け入れられ、その正しさを踏まえて誰がいつピッチャーとして登板するのか、ということが決定されていても、誰かの人権が損なわれることはないでしょう。

しかし、「女性」「男性」「若者」「中年」「年寄り」「会社員」「自営業」「公務員」「主夫」「主婦」「日本人」「韓国人」「中国人」「関西人」「関東人」「大学生」「東大生」「哲学者」「社会学者」「経済学者」といった、私たちの社会生活で頻出し、私たちを縦横に分類していく数々の名詞はどうでしょうか。少なくとも、こうした名詞で集団を切り分け、一般的に何かを述べるとき、私たちは単純ではない内容を表現していることをしっかりと認識すべきです。

†ステレオタイプや偏見の表現

これまでの検討から明らかなことは、総称文で表現される内容は、観察の積み重ね、単なるデータポイントの記述を超える、ということです。

(11) a 男性は女性より握力が強い。
b 男は泣かない。
c 女はよく笑う。
e 男子は理系科目に強い。
f 女子は文系科目に強い。

私たちは、（11a）という総称文を裏づけるデータが十分にあると思います。中学生の体力測定テストの結果などにもとづけば、統計的に十分に根拠のある形で、「男性」と「女性」で分類される集団から、それぞれ一人ずつ誰かをランダムに選んだとき、その「男性」集団の代表者の握力測定の値が、「女性」代表者のそれよりも高い可能性が、これこれだけある、ということを示すことができるでしょう。

しかし、（11a）はこの観察にもとづいたデータ以上のことを伝えています。たとえば「女性」という名詞が使われている以上、「女性」を「女性」とする本質が存在し、その本質が何らかの形で握力の強さ、というものに関連しており、結果として、一般的に女性は男性よりも握力が弱くなりがちである、というような内容が表現されます。この内容は、生物学的女性と生物学的男性の典型例に関して、身体生理学的にひょっとしたら根拠のあることなのかもしれません。しかし、そのような内容は、体力テストによって得られたエクセル表のみで正当化できるものではありません。総称文を使うとき、私たちは、単にデータポイントの集計を伝えているわけではないのです。

そして、左投げであることや、握力が強いことなどよりも、もっとあいまいで、とらえどころのない特徴について、私たちは日常的に言及し、お互いを定義し合います。（11b）から（11f）のような例文はその典型でしょう。こうした文の使用は、かなり有害である可能性があります。

たとえば（11e）について、とあるクラスの男子（と分類される）生徒の理系科目平均点が、女子（と分類される）生徒の平均点を実際に上回っていたとしても、（11e）はそうした結果を述べ直したものではないからです。握力の平均値といった非常に分かりやすいもの以外について、環境的な理由ではなく、「本質的に」特定の集団に備わった性質がある（たとえば「理系科目が本質的に苦手だ」）、などと主張することに根拠はあるのでしょうか。そのような主張は、いわゆる科学的レイシズム／セクシズムなどにもとづいているかもしれません。

総称文は極めて単純な構文で、ヒトの認知システムがもたらす判断の基本的な形式を反映しているとも主張されてきました（Leslie 2017）。実際、総称文を使わずに生活することはほぼ不可能だと思われます。しかし、名詞を使い総称文を使うとき、私たちは、単に出来事を報告している、観察を記述しているわけではないのです。私たちが持つ社会集団についてのステレオタイプ、あるいは偏見を表明している可能性があります。私たちは、ジヤガイモやキリンについて語る道具を使って、私たち自身について語っていることを、覚えておくべきです。

第8章 ヘイトスピーチ

今のところ、日本は国内におけるヘイトスピーチ問題に取り組み始めたばかりであり、日本に住むすべての人々の尊厳を守る、包括的規制が成立するまでには長い道のりがある。

（Carlson, C. R. *Hate Speech*, The MIT Press）

ヘイトスピーチは「憎悪表現」なんかではない。本質は差別以外のなにものでもない。そもそも「表現」のひとつとして認めてよいのだろうか。

（安田浩一『ヘイトスピーチ』文春新書）

1　ヘイトスピーチとは何か

†ヘイトスピーチの基本的特徴

ヘイトスピーチとは、人種や民族、性別や宗教といった属性にもとづいて、個人や集団をおとしめ、攻撃する表現です。日本国内の文脈から例をあげると、在日コリアンの市民に対して、危害を加えると脅したり、地域から出て行けなどと呼びかけたりするような行為がそれに当たります。

ヘイトスピーチに明確な定義を与えることは簡単ではありませんが、日本を含む世界中数多くの国や地域において、ヘイトスピーチは規制の対象となっています。規制の対象になるということは、法律や規則の中で、一体何がそれに当たるのか、どの程度制約されるべきか、といった点が、各国・各地域の現状と歴史的背景を踏まえて、詳細に検討されてきたということです。「ヘイトスピーチ」は、決してバズワードのようなものではなく、それに関する膨大な議論の蓄積がすでに存在します。[44]

たとえば、ＥＵ理事会の「レイシズムやゼノフォビアの、特定の形態および表現を、刑法で対処することについての枠組決定」によると、ヘイトスピーチは「人種・皮膚の色・宗教・血統・国民的あるいは民族的出自などを含む、特定の特徴にもとづいて、集団や個人に向けられた暴力や憎悪をおおやけに扇動すること」とされます。[45] ヘイトスピーチは単に誰かをおとしめるだけでなく、ヘイトクライムと密接に関連しており、標的への直接的暴力を、正当化したり誘発したりすると考えられています。また、「表現」一般が対象となっていることから分かるように、自然言語の使用をともなった発話や投稿などのみが、ヘイトスピーチとみなされるわけではありません。イラストや動画の使用も、個人や集団をおとしめ、暴力と差別をあおることにつながります。さらに、右記の定義には続きがあり、ホロコースト否定など、ジェノサイドといった戦争犯罪を矮小化することなどもヘイトスピーチに含められる場合があります。

この章の目的は、法学、社会学、そして政治活動の現場において議論されてきた、ヘイトスピーチにまつわる見解を吟味したり、具体的な事例を解説したりすることではありません。[46] 以下では、あくまで、言語哲学の観点からヘイトスピーチ一般に関していくつか論点を提示します。しかし、まず述べておきたいのは、ヘイトスピーチは被害者のいる深刻な社会問題だということです。「ヘイトスピーチ」そして「ヘイトクライム」ということば自体は近年になって人口に膾炙したとしても、差別と排外主義は常に日本国内に存在し、ヘイトスピーチとヘイトクライムの被害は繰り返し生じてきました（前田 2019, 第1章）。したがって、私たちの最大の関心事は、いかに被害を食い止めるのかという点にあるべきであり、現象そのものへの理知的関心は二の次、三の次であるべきでしょう。ただ、ヘイトスピーチという、私たちの言語使用の中でももっとも醜悪かもしれない側面を、言語哲学が無視するわけにはいきません。そして、それが一体何なのか理解することは、その被害を抑える方法を考えることにわずかばかりながら貢献できるでしょう。

†ランクづけとしてのヘイトスピーチ

第5章において、誰かを罵る・罵倒するという言語行為の中心的機能は、その人物を自分より低く位置づける、ランクづけすることだと主張しました。このランキング概念にもとづいた罵倒の理解は、ヘイトスピーチにも拡張できると思われます。ランキングは、何かに順序関係を押しつけることにより成立します。抽象的なランキングの構造という観点からは、その何かが個人であっても（Aさん＞Bさん）、集団であっても（A集団＞B集団）同じことです。[47]そして、総称文に関する第7章にて詳しく見てきたように、私たちは個々人についてだけでなく、人間の集団について一般化を行い、本質主義的に語ります。

話者のAさんが「A人」という（それが科学的に意義のある分類かはともかく、一般的にそういう集団があるとされている）集団に属しているとします。Aさんが「B人は危険だ」「B人は犯罪者だ」と「B人」の集団について（総称文を使いあいまいに）述べたとします。Aさんがただちに「A人も危険だ」「A人も犯罪者だ」などと付け加えない限り、Aさんはおそらく、「A人はそうではない」と考えていると想定できるでしょう。つまり、話者は集団的に、犯罪を犯す傾向性や危険度について「A人集団＞B人集団」というランキングを提示していることになります。さらに、第7章での議論を踏まえると、Aさんは、単に数量的な計測値を述べているだけでなく、このランキングは生物学的、あるいは文化的な原因をその根拠として持つ、と示唆しています。

ヘイトスピーチのさまざまな側面が、このランクづけるという根本的機能から派生的に理解できると私は考えます。[48]ここでは二点だけ指摘したいと思います。ひとつ目は、ランキングの存在は暴力や差別の「正当化」につながる、ということです。「A人集団＞B人集団」という序列関係を成立させてしまえば、A人集団とB人集団への異なった取り扱いに根拠があることになります。たとえばB人集団が、本質的により危険（と誤って認識される）ならば、その集団に属するメンバーをより危険視し、警戒する差別的制度や慣習が正当化されてしまうでしょう。

二つ目にとりあげたいのは、なぜ集団をおとしめる表現として、「ゴキブリ」や「ヘビ」といった、ヒト以外の生き物（「オニ」「悪魔」といった架空のものも含まれるでしょう）が使われやすいのか、という理由です。この理由も、ランクづけの観点から説明できます。第2章において、古今東西に共通して、私たちが忌避する単語の分類があるという見解を紹介しました。排泄物関連のことばや、害獣や害虫を指すことばは、強いイメージを喚起しますので、人をおとしめるために、そうした単語を用いるのは理解できます。しかし、単に集団と悪いイメージを結びつける、連想させるためだけにそうした語彙が使用されるのではないと思われます。

ゴキブリもヘビも、少なくとも一般的にヒト以下の存在としてランクづけされています。すでにランキングが存在するわけです。すでに存在するランキングを利用すれば、新しく苦労してランキングを作成したり、ランキングの存在を説得したりする手間が省けるのです。ヒト以外の生き物を指す表現を使い、特定の人間集団と既製のランキングを結びつけるのは、ランクづけを成功させるという（邪悪な）観点から見れば、非常に有効な手段だと考えられます。

2 「ヘイト」と「スピーチ」の概念分析

次に、輸入語として広く使用されているカタカナの「ヘイトスピーチ」という用語が指す概念を分析します。[49] この用語は、もちろん英語の"hate speech"をそのままカタカナにしたものですので、「ヘイト」と「スピーチ」という部分によって作られた表現です。日本語としても、「ヘイト・スピーチ」のように、「・」によってスペースを示すことがあります。

†憎悪の神話

まず、最初の部分「ヘイト」について検討しましょう。「ヘイト」はまったくふさわしくない、誤解を招く、という指摘がこれまでになされてきました。[50]

「ヘイトスピーチ」ということばを使うのを完全にやめたほうがよいのではないかと思うときがある。
（Waldron 2012, p. 39）

新大久保や鶴橋などのデモや集会における公然たる差別煽動発言や、京都朝鮮学校襲撃事件におけるように被害者方へ押しかけての威嚇的街宣など、差別と排外主義が悪化し、ヘイト・スピーチが流行語となった。その実態は暴行、脅迫、迫害であって、ヘイト・スピーチという呼称は誤解を招きかねない（以下略）
（前田 2019, p. 20）

「ヘイト」すなわち「憎悪」や「憎しみ」は感情の一種です。ですので、感情的な発言、怒鳴ることや罵倒することと、「ヘイトスピーチ」を結びつける傾向が人々の間にあります。ジャーナリストの安田浩一も著書『ヘイトスピーチ』にて、全国紙の四コマ漫画が、単に子どもが「ばーか」と言うことを「ヘイトスピーチ」としてしまっている事例をあげます。

しかし、右で述べたヘイトスピーチの基本的な特徴づけと、集団を低くランクづけるという根本的な機能とを踏まえると、単に乱暴な言い方をする、そして感情的になるということは、ヘイトスピーチの必要条件でも十分条件でもありません。冷静に、淡々と戦争犯罪を矮小化する主張を連ねるといった行為も、ヘイトスピーチに含まれる可能性があります。また、踏みにじられた側が、抵抗のために必死に声を荒らげることは、ヘイトスピーチではありません。これは、悪口というものが、単に表現の種類によって決定されないのと並行的です。

†アリストテレスによる「怒り」と「憎悪」の区別

「ヘイトスピーチ」という用語を使い続けるならば、私たちは、「ヘイト」あるいは「憎悪」という概念を適切に理解する必要があるでしょう。コミュニケーション研究者のマイケル・ウォルトマンとジョン・ハースは、アリストテレスによる「憎悪」と「怒り」の区別を導入し、ヘイトスピーチはアリストテレスの意味での「憎悪」に関わるとしています(Waltman and Haas 2011)。

アリストテレスの『弁論術』によると、「怒り」とは、(i)個人に向けられ、(ii)怒っていても怒りの対象に共感を持つことがあり、(iii)個人的侮蔑や損害から生じることが多く、(iv)衝動的な行為に結びつくとされます。特定の誰かに、何かをされたとき、私たちはカッと怒るわけです。そして、たとえば友人に対する怒りなど、怒っていたとしても、その人の幸運を願わないわけではありません。

その一方、「憎悪」とは、(i)集団に向けられ、(ii)共感せず対象の不幸(滅亡など)を願い、(iii)個人的侮蔑や損害と無関係なことがあり、(iv)熟慮された行為に結びつく、とされます。

怒りのほうは常に個別的な対象に関わる、たとえばカリアス、あるいはソクラテスに対して、という具合に。だが憎しみは、その類い全般に対しても向けられる。誰であれ盗人や密告者を憎むわけだから。また、怒りは時間によって癒されもするが、憎悪のほうはそうもいかない。また、前者は相手の苦痛を求めるが、後者の場合には相手の不幸を願う。(中略)また、前者は諸々の状況の変化に応じて相手に憐みを抱くこともありうるが、後者に関してそれはありえない。一方は怒りの向かう相手がその代償を身に受けることを望むものだが、後者の場合は、そもそも相手がいなくなってくれるのを願っているのだから。

(アリストテレス 2017, 第二巻第四章)

ユダヤ人のホロコーストやルワンダでのツチ系住民のジェノサイドなど、ヘイトスピーチによって加速する暴力が、究極的に特定集団の滅亡を目指した例は、残念ながら歴史的に珍しくはありません。ヘイトスピーチは、こうした邪悪な願いとしての「憎悪」に関わります。「ヘイト」を、単なる個人の好き嫌い、好悪感情のようなものとみなすのは間違っています。

†「スピーチ」未満

次に、「ヘイトスピーチ」の「スピーチ」について検討します。まず、あくまで日本語表現としての「スピーチ」に着目します。『日本国語大辞典』第二版を見ると、「スピーチ」とは「会合の席などで、大勢を前にしてする話。談話」とあり、補注として「明治時代には、公衆の前で自分の主義・主張・意見を述べる「演説」の意味で用いられたが、現在では、祝いの席などでの寸話をさすことが多い」とされています。およそこの解説が正しいようで、KOTONOHA 少納言というコーパスで用例を数十個確認しても、結婚式でのスピーチ、校長先生のスピーチ、あるいはもっと軽い挨拶、そして演説の類を指して

「スピーチ」が使われています。

そうした（まじめな、ためになる、楽しい、くだけた）「お話」である「スピーチ」では、真理条件（第3章）を持った平叙文が多く含まれ、伝達や報告といった言語行為（第5章）が行われるでしょう。たとえば、「私は新婦と高校以来の友人です」と出席者に伝える、お話をするわけです。もちろん、「挨拶をする」ための表現など、真理条件を持たない文がスピーチに含まれることもあります。しかし、たとえば会社の上司のスピーチが、すべて命令形などで済むでしょうか。

上司の挨拶

本日はお集まりいただきどうもありがとうございます。お日柄もよいため、スピーチは短くしましょう。さあ祝え！　飲め！

これを「スピーチ」と呼ぶべきかどうか、微妙なところだと思いませんか。上司の挨拶なんてこれで済めばいいのにな、と多くの人が思っているでしょうが、これなら、「今日はスピーチがなくてよかった！」と言うこともできそうです。とにかく、「スピーチ」の必要条件として、真理条件を持った文がそれなりの割合で含まれ、それが伝達や報告や主張として提示される、というものがあるでしょう。

また、スピーチにはある程度構成が必要で、それぞれの真理条件的文が、何らかの関連を持つものとして提示されなければならないでしょう。根拠や前提とそこから導かれる主張や、あるいは物語や思い出を述べているとすると、事実を伝える文が時系列で並んでいるかもしれません。結婚式のスピーチなどでも、「新郎は大学時代に〜」「なので〜はすごくいいやつです」といった発言が並ぶでしょう。

スピーチの構成要素の文の種類や、その関係についての条件を、何かがスピーチになるための「内的」な条件と呼んでおくと、ヘイトスピーチがスピーチの内的条件を満たさないケースも数多くあると思われます。典型的なヘイトスピーチでは、スローガンの連呼、「出ていけ」といった命令形、「〜しよう」といった意志形、「〜するよ」「〜するぞ」といった終助詞で終わる形、そして差別表現や卑語の単独での使用が多いからです。もちろん、「A人はかくかくだ」といった総称文や、特定の政治家など個人の「Bがしかじかだ」といった、真理条件を持つ文も使用されるでしょう。しかし、誰かを恫喝し、脅迫することは、スピーチではないのです。

†「言論」なのか

もちろん、「スピーチ」は英語の"speech"であり、いわゆる「言論の自由」("freedom of speech")の"speech"は、借用語としての「スピーチ」より幅広い言語活動に当てはまるように思われます。しかし、「おお、くやしいんか？　くやしいんか？　なんか言ってみい？」などと大声で市民にからみに行くことが、それが何であれ、擁護に値する「言論」や"speech"に当てはまるようには思えません。

たとえば、哲学者のJ・S・ミルによる有名な言論の自由擁護の論証では、真か偽となる「意見」(opinion)を提示する自由が擁護されます（ミル 2012）。そして、「ほーらくやしいやろ～おらぁ!!」などといった発言が、真偽の問える意見でないことは明らかです。真理条件を持たない言語表現が多数存在することを、私たちはすでに第3章で確認しています。自然言語を用いているからといって、それが主張行為や意見の提示であるかどうかは分かりません。私たちは、意見の提示ではない加害行為を、言論とみなして擁護する必要はないのです。

ここでの私の主張は、ヘイトスピーチがもし言論だったら擁護されていた、あるいはされなければならない、ということを含意しません。もし言論だったとしても、犯罪の教唆のように、危害の大きさから十分に規制可能かもしれません。[51]いずれにせよ、「ヘイトスピーチ」と呼ばれる数多くの活動は、そこに含まれる言語の特徴上、「言論」でも「スピーチ」でもない場合が多いだろう、というのがここでの主な指摘です。

3　「蒸気船」としての言語

†よく分からない「ことば狩り」

ヘイトスピーチ規制論に限らず、何らかの言語使用の法的規制や、社会的制裁の可能性について議論する際、「ことば狩り」というフレーズが反応としてよく登場します。私は正直このフレーズの使いどころがよく分かっていません。「刀狩り」や「紅葉狩り」にそれほど悪いイメージもありませんので、何かを「狩る」ことがどうしてよくないのかがいまいち分かりません。いずれにせよ、そもそも、銃刀や紅葉を狩るように、「ことば」を狩ることができると思っているとすると、それは間違いでしょう。

第1章において、心臓や肺については、お医者さんや専門家の意見に従うのに、ことば・言語については、私たちはなぜだか自分たちがエキスパートであると思い込んでいる、という指摘をしました。「ことば狩り」もそうした意識の現れを見て取れる表現かもしれません。

哲学者のヒラリー・パトナムは、ことばを一種と道具とみなすとしても、それがハンマーやネジ回しのような一人で使う道具ばかりでなく、複数の人間が関わる蒸気船のようなものである可能性も考慮しなければならない、と指摘します（Putnam 1975, p. 229）。「ことば狩り」というフレーズの裏には、「どんなに危ないナイフでも刀でも、自分にはそれを使う権利があるし、実際安全に使っているのだから、ほっといてくれ」といった感覚があるのかもしれません。しかし、そもそもことばがナイフといった道具でないとしたらどうでしょう。ことばが蒸気船やタンカーのようなものだとすると、まず「狩れる」のだろうか、という疑問も湧いてきますが、いずれにせよそんなものを「ほっとく」わけにはいきません。蒸気船やタンカーは、個人が所有しているわけではなく、社会の中で巨大な位置を占め、便利で有益かもしれませんが、慎重に運用しなくては、運河に挟まったり、大事故を引き起こしたりするでしょう。

†"Jap"と"Japanese"の違い

ここで第3章の議論を応用して、「ことば狩り」の対象になる可能性がある、差別的語彙の使用について考えてみましょう。第1章でも触れたように、"Jap"は明らかに"Japanese"の省略形ですが、特に真珠湾攻撃の後より、日本人・日系アメリカ人に対する差別的語彙として機能してきました（Hughes, 2006, p. 261）。これら二つの表現にはどのような違いがあるのでしょうか。

私は「これらの表現は真理条件的内容としては同等だが、使用条件的内容として、集団的な序列関係が組み込まれている」と考えます。この考えを簡単に説明していこうと思います[52]。まず、これら名詞は真理条件的内容として、同じ集団を表しています（文脈によって、日本人であるのか、日系アメリカ人であるのかといった差異はあるでしょうが）。同じグループの人々を意味している、という観点からは、これらの表現は同等です。そのため、「前者が後者を省略したものに過ぎない」という発想にも一理あるわけです。

しかし、それと同時に、これら二つの表現はまったくその使用条件が異なります。第3章と重複しますが、類似的に、敬語表現（あるいは「やがる」といった敬語と逆向きの表現）も使用条件的内容を持っていますので、次の例を考えてみましょう。

（1）a　金田さんがいらした。
b　金田が来た。
c　金田の野郎が来やがった。

（1a）も（1c）も真理条件的観点――どういう事実関係を報告しているのかという観点――からは、（1b）と特に変わらないように思われます。（1a）あるいは（1c）が正しければ、（1b）もそうでしょうし、（1a）あるいは（1c）が間違っていれば、（1b）もそうでしょう（その逆もまたしかり）。しかし、日本語話者にとって（1a）-（1c）の違いは明らかです。これらが「まったく同じ意味」であるわけがありません（（1b）でも（1c）でも、言われた金田が「さんをつけろよデコ助やろう！」とキレてしまうかもしれません）。

（1a）-（1c）は、それぞれ使用条件的意味が異なっていると考えることができます。（1a）の使用が適切になるのは、話者と「金田」という人物が特定の社会的序列関係に立っているときです。おおよそ、金田さんは話者に対して目上（か同等）の立場の人物なのでしょう。そうでない場合、たとえば母親が自分の赤ちゃんに関して（1a）のように語ったとしたら、それは冗談として受け取られるでしょう。

一方、（1c）のような語りが適切（冗談には聞こえないという意味合いで）になるのは、少なくとも話者の観点からは、金田さんが話者より低い立場、あなどられてしかるべき位置を占めている場合でしょう。そのような言い方をしても許される力関係がある、と話者は考えているわけです。

"Jap"のような単語においても、まったく同じメカニズムが働いていると考えることができます。そのような表現の使用が適切なとき（繰り返しですが、この「適切」は冗談には聞こえないという意味合いで、使用が道徳的に許されるという意味ではありません）、話者はその表現が表す集団と特定の社会的序列関係に立っていなければなりません。その表現が表す集団が、話者より低い立場を占めていなければ、そのような表現がまじめに使われるはずがありません。ですので、差別的語彙が使われているということは、少なくともそれを使う人物の観点からは、集団的な序列関係が存在するのです。

第3章で、使用条件的内容は、半ば自動的な形で、共有基盤をアップデートすると述べました。誰かが（1a）と述べているのを聞いたら、特に他の理由がなければ、「話者にとって金田は目上の人だな」と判断します。明示的に「話者にとって金田は目上の人だ」などと言われたわけでもないのにです。社会的序列関係についての認識を、少しばかりの発言にもとづいて変更してしまうわけです。

この点を差別的表現の使用に当てはめると、恐ろしい帰結が生じます。差別的表現がまともに使用されてしまうと、聞き手の共有基盤に集団的序列関係の存在が半ば自動的に埋め込まれてしまいます。少なくとも、表現の使用者が見ている世界には、そのような序列が存在するということは認めざるをえません。聞き手が序列の存在を拒否するとしても、差別的表現が繰り返し使われるということは、お前たちは低い立場にあるのだ、序列があるのだ、と共有基盤に繰り返し押しつけられるということなのです。

私たちはおそらく、それがどのようなものであれ、自分の信じる意見を主張として提示する権利を持っています。しかし第5章において確認した、情報伝達の神話——発言をするとき私たちは純粋に情報をやりとりしている——が神話に過ぎないことと、以上の検討を踏まえると、自主的に特定の語彙使用をやめる、規則として特定の表現を制限する、といった制約が、十分に正当化できる場合もあるだろうと思われます。

可能な命題をすべて含んだ論理空間の中で、たとえばレイシズム的命題を描き出す自由を私たちは有していないかもしれません（「○○人は本質的に△△人より道徳的に劣っている」という文を含んだ論考を執筆するなど）。しかし、そのことは、他者の共有基盤にそうした命題を押しつけるという行為や、特定の集団を低くランクづけるという行為が許容されることを含意しません。私たちは、意味機能と言語行為の多様性を踏まえた上で、表現規制の可能性を模索すべきでしょう。

†意味の公共性再び

第3章で述べた意味の公共性も、ここで重要になってきます。敬語などが持つ含意を、私たちは自由に決められません。差別的語彙が持つ含意も、私たちは自由に決められないのです。

差別的発言をした後に、「差別する意図はなかった」「悪意はなかった」「差別的とは知らなかった」といった言い訳がなされることがあります。[53] 本当だろうか、という疑念が生じるときもありますが、本当にある意味「無邪気に」差別的なことを言う場合もあるでしょう。

しかし、これまでの考察から分かるとおり、少なくとも発言が社会的関係性にまつわるとき、話者の意図や内心はあまり重要ではありません。どのくらい敬語を使っているか、ということば尻のちょっとした違いをはたから聞くだけで、誰が誰より目上／目下か、誰が誰より年上／年下か、といった社会的序列関係を私たちはただちに把握し、それに即して行動していきます。「あのさえない人に、先輩がめちゃくちゃ敬語を使っているから、私も敬語を使わないと！」などと、ほとんど自動的に結論づけることがよくあるでしょう。

そしてもし、とある敬語の使い方が何らかの価値観に従っておかしければ、やめてもらうのがいいでしょう。敬語の使用が変だ、やめてくれ、となるとき、話者の意図や内心や深層心理に私たちは踏み込む必要があるでしょうか。本当のところは、深層心理では、その人を敬っているとか敬っていないとか、そういったことは敬語の使用が変であることと無関係なのです。

同様に、差別的発言が、同列に位置づけられるべき集団を低くランクづけるような効果を持つならば、それは話者の意図と無関係に何らかの制裁の対象となるべきでしょう。本当のところは、深層心理では、差別的意識がないとかあるとか、そういったことは、表現の公共的使用と無関係なのです。

第3章における意味の外在主義を思い出してください。それは、ことばの意味は、頭の外にある客観的な事物である、という有力な立場でした。すると言語の意味は、まさにタンカーのように、私たちから独立の存在だということになります。私たちがどれだけ心の中で願おうとも、運河のタンカーは消えてなくなりません。同じように、私たちが何を考えようと願おうと、差別的な表現の意味は私たちから独立に存在するわけです。もしとある単語が、迫害と抑圧の歴史や社会構造と結びつくことにより、差別的含意を持っているならば、一人の話者の力では、その結びつきをどうすることもできません。差別的単語を使用した時点で、差別的な構造の維持に貢献しているかもしれないのです。

ヘイトスピーチの可能な規制や、人権を侵害する言語使用を批判するとき、私たちは蒸気船やタンカーの造船技術・運行規則・免許制度などについて話をしているわけです。「タンカーの操縦に規則なんかいらない。大事なのは安全に運転しようとするそれぞれの意識だ。ほっといてくれ」などと言われて納得する人はいないでしょう。ところが、言語については、「ことばよりも個人の意識が大事だ」のような見解がしばしば提示されます。少なくとも、私たちは、言語がときとして、大事故を引き起こすタンカーや航空機のように、人を傷つけ、社会を壊すことがあることを忘れてはならないでしょう。

おわりに――悪口の謎を解く

第1章において、悪口に関する次の二つの謎を導入したことを覚えているでしょうか。

悪口の謎1「なぜ悪口は悪いのか、そしてときどき悪くないのか」
悪口の謎2「どうしてあれがよくてこれがダメなのか」

これまでの本文の中に、どちらの謎も解くための材料が十分に含まれています。その答えを、みなさんは自分のことばで説明することができるでしょうか。ちょっと復習がてら考えてみてください。どうですか？

……その通りです！　バッチリだと思います！　では、私のことばでも、どう謎が解けるのか簡単に振り返ってみたいと思います。

まず、「なぜ悪いのか」というと、それは、あるべきでない序列関係・上下関係を作り出したり、維持したりするからです。私たちは事実上、身体能力の違いや貧富の差など、それぞれに異なっています。しかし、理念上、私たちには上も下もなく、お互い平等のはずです。人々をおとしめ、低い位置にランクづける行為は、その理念をないがしろにする行為のため、悪いのです[54]。

人を理由もなく傷つけることは悪いことですので、悪口だろうが何だろうが、人を傷つけるような行為は基本的に悪いでしょう。しかし、今述べたように、悪口が不平等なランキングを作り出すとすると、そのときたまたま人を傷つけなくても、悪口は悪くなるのです。

さらに、権力の上下関係があるということは、下のものの意見がないがしろにされたり、そもそもその人がぞんざいな扱いを受けたりすることにつながります。そのようなとき、人は不快に思い、傷つくでしょう。そのため、不平等なランキングの存在は、どうして悪口が人を傷つけるのか、ということにも関連しているのです。

「どうしてときどき悪くないのか」「どうしてあれがよくてこれがダメなのか」という謎も、同じ発想にもとづいて解くことができます。本書では、上下関係が絶対にないということがはっきりしている場合には、たとえ何を言ったとしても、悪くはならないし、相手を傷つけることにもならない、という論点も紹介しました。黒人に対する差別的名詞を、黒人の若者同士がむしろ友好関係を強調するために使うというのは、よく知られた事実です（Croom 2011）。

また、歴史的な抑圧と迫害を背景として、特定の単語は強烈な使用条件的内容を抱えることがあります。それを無視して、「この単語はこの単語の省略に過ぎない」「この単語はこの単語の専門的言い換えに過ぎない」などと勝手に単語の内容をでっちあげてはいけません。敬語表現の内容を勝手にでっちあげるわけにはいかないのと同じことです。

さて、まだまだ語り尽くされていないところがあるでしょう。「これについてはどうなんだ？」と思われたところもあるでしょう。しかし、私たちの言語の創造性には切りがなく、それについての語りも終わりが見えそうにありませんので、このへんで「悪い言語哲学入門」を終了したいとおもいます。

どうですか？　悪くはなかったでしょう？

本書を通じて、みなさんは、言語についてより洗練された理解を得ることができたと期待しています。人間の悪さにも終わりはなく、私たちは言語の悪い側面とこれからもつきあっていかなければならないでしょう。しかし、お互い同じ人間同士、話し合い、歩み寄り、説得し、なだめ合い、しかり合い、励まし合い、なんとかうまくやっていこうとするのも、私たちの言語です。みなさんのこれからの言語生活がよいものであることを祈りつつ、筆をおきたいと思います。

もっと勉強したい人のためのブックガイド

ここでは、言語哲学や本書で話題にあがったトピックについて、もっと勉強したいという人のために、文献をいくつか書籍に絞って紹介したいと思います。

第1章・第2章

「正統派」言語哲学入門なら今でもやはり、

飯田隆『言語哲学大全Ⅰ―Ⅳ』勁草書房、一九八七―二〇〇二年

から読みはじめるのがよいと思います。このシリーズの第Ⅳ巻は、日本語形式意味論という分野の可能性を追求し、専門性がとても強くなっているので、まずはⅠ―Ⅲ巻をおす

すめします。
他にも言語哲学の入門書としては、

服部裕幸『言語哲学入門』勁草書房、二〇〇三年
W・G・ライカン『言語哲学――入門から中級まで』勁草書房、二〇〇五年
八木沢敬『はじめての言語哲学』岩波書店、二〇二〇年

などが入手可能です。

これらはどれも具体的な分析の紹介に重きをおいていますので、より哲学史的興味を持つ人には、

飯田隆編『哲学の歴史〈第11巻〉論理・数学・言語』中央公論新社、二〇〇七年

の方が楽しめるかもしれません。
ハードな正統派トレーニングをいとわない人ならば、いっそフレーゲの『算術の基礎』

に取り組むことが、簡単ではありませんが、結局のところ一番「効率がよい」（あまり褒められたことばではありませんが）ように思われます。

G・フレーゲ（三平正明・土屋俊・野本和幸訳）『算術の基礎』（野本和幸・土屋俊編『フレーゲ著作集2』勁草書房、二〇〇一年）

タイラー・バージが強調するフレーゲの重要さについては、

Burge, T. 2005, *Truth, Thought, Reason: Essays on Frege*, Oxford University Press.

に収録されている論文の数々がそれを物語ります。

しかし、誰が「正統派」の入門を求める、そして必要とするのでしょうか？　私はだんだんと分からなくなってきています。正統派うんぬんなどと考えるよりも、悪口に興味があるならば、まず以下の本をおすすめします。

E・バーン（黒木章人訳）『悪態の科学——あなたはなぜ口にしてしまうのか』原書房、二〇一八年
Byrne, E. 2017, *Swearing is Good for You: The Amazing Science of Bad Language*, W. W. Norton & Company.

本文で参照されているベンジャミン・バーガンの書籍は翻訳がないようですが、類書として、これは大変好著です。
また本書と類比的な方向性を持った教科書に、
Cappelen, H. and Dever, J., 2019, *Bad Language*, Oxford University Press.
というものがあり、さらに、この書籍の翻訳企画が進行しているそうです（勁草書房より近刊）。著者らは、もちろん英語と英語圏の話題を中心として、「悪い言語」について語っていますので、日本語を題材とした本書と比べてみるのも面白いかもしれません。

第3章

Elbourne, P., 2011, *Meaning: A Slim Guide to Semantics*, Oxford University Press.

言語学者が書いた意味についての入門書です。存在論的・機能的問いの区分はありませんが、意味の内在主義・外在主義を区別して分かりやすく導入します。意味についての本書の議論も、部分的に影響を受けていると思います。かなり紙面を使って哲学的議論を追っており、言語学者がどれだけ哲学書を読んでいるのかがよく分かる（あるいは哲学と言語学の距離の近さがよく分かる）文献です。

真理条件的内容には回収されない意味の側面についての最初期の議論を、やはりフレーゲが行っています（以下の特に「思想とその覆いとの分離」）。

G・フレーゲ（関口浩喜・大辻正晴訳）「論理学（Ⅱ）（1897）」（黒田亘・野本和幸編『フレーゲ著作集4』勁草書房、一九九九年）

そして近年その理論化が急速に進められていますので、気になる人は参考文献にあるPredelli 2013（哲学方面）、Gutzmann 2015（言語学方面）をおすすめします。

本書で紹介されているような研究とは手法が異なりますが、「やがる」のような日本語の事例と、日本語学における先行研究について詳しく知ることができるのは、次の本です。

西尾純二『マイナスの待遇表現行動——対象を低く悪く扱う表現への規制と配慮』くろしお出版、二〇一五年

第4章・第5章

固有名をはじめとした、指示表現の最新の理論的研究に、本書ではまったく触れませんでした。そうした話題については、専門性がかなり高くなってしまいますが、次の書籍を示しておきます。

和泉悠『名前と対象——固有名と裸名詞の意味論』勁草書房、二〇一六年

藤川直也『名前に何の意味があるのか』勁草書房、二〇一四年

第5章のタイトル「それはあんたがしたことなんや」は、次の本のタイトルからとらせてもらいました。言語行為について考えるということは、ことばを用いた私たちの行為とその責任について考えることに他なりません。この本は行為そのものとその責任についてのとても優れた入門書です。

古田徹也『それは私がしたことなのか――行為の哲学入門』新曜社、二〇一三年

オースティンの主著は、新しい訳本が講談社学術文庫として最近出版されました。解説も充実しており、たいへんおすすめです。

J・L・オースティン（飯野勝己訳）『言語と行為――いかにして言葉でものごとを行うか』講談社学術文庫、二〇一九年

本格的に語用論も勉強したい人に向けては、注であげたものに加えて、次の本をおすすめします。

Huang, Y., 2014, *Pragmatics*, 2nd edition, Oxford University Press.

Oxford Textbooks in Linguistics というシリーズのひとつで、秀才のよくできた予備校ノートを読んでいるかのようです。概念や対立軸などがとても分かりやすく分割され、キーワードが導入され解説されます。重要な単語はしっかりハイライトされ、用語集がついてきます。言語学者向けですが、哲学への目配せが非常に効いています。グライスの格率はカントのものが由来、とかいったそういうことは、哲学者はよく知っていますが、言語学文献では触れられることもまれです。しかし、この本はしっかりそうしたことに言及します。哲学者がよく議論する、意味論・語用論線引き問題も詳しく紹介されています。ネオグライス語用論、ポライトネス・インポライトネスなど、言語学的語用論の主戦場っぽい話題は、当然とても詳しく解説されており、部外者に優しいと思います。

第6章・第7章・第8章

嘘と誤誘導に関連するものとしては、(Saul 2012, 2018) が翻訳され、まとめて一冊の本になりましたので、それが一番のおすすめです。

J・ソール(小野純一訳)『言葉はいかに人を欺くか――嘘、ミスリード、犬笛を読み解く』慶應義塾大学出版会、二〇二一年

総称文に関連するものとしては、以下の本の第5章が総称文について詳細な議論をしています。

飯田隆『日本語と論理』NHK出版新書、二〇一九年

ヘイトスピーチに関連する文献は数多く存在します。安田浩一氏の著作など、アクセスしやすいものも多いですので、社会学や法学など、広く読まれることをおすすめします。

哲学関連としては、言語哲学者ジェイソン・スタンリーの次の著作が翻訳されています。

Stanley, J., 2018, *How Fascism Works: The Politics of Us and Them*, Random House.

J・スタンリー（棚橋志行訳）『ファシズムはどこからやってくるか』青土社、二〇二〇年

タイトルにあるように、ファシスト政治全般に関する著作で、ヘイトスピーチそのものについては、むしろひとつ前の著書（Stanley 2015）が直接関連していますが、そちらはまだ翻訳されていません。ただ、プロパガンダについても簡潔にまとめられており、言語と政治の関わりについて深く考えさせられる本です。この本を読んで、今日の日本に共通点を見出さない人はいないでしょう。

あとがき

本書の内容は、雑誌『フィルカル―分析哲学と文化をつなぐ―』(Vol. 5, No. 2~Vol. 6, No. 2)に掲載されていた連載に、加筆修正を行ったものになります。連載をする機会を下さったフィルカル編集部のみなさまに、感謝申し上げます。

取りあげたテーマ、議論の進め方や具体例などは、勤務先である南山大学にて、ここ五年間ほど行ってきた講義を通じて、試行錯誤した結果になります。また二〇二一年度には、一橋大学においても、言語哲学の非常勤科目を担当する機会を得て、本文をブラッシュアップすることができました。講義に参加して、さまざまな反応をしてくれたたくさんのみなさんに、深く感謝しています。

本書の書籍化にあたっては、筑摩書房の橋本陽介さんに最初から最後までお世話になりました。橋本さんは、とても早い段階から本書の価値を見出し、的確なアドバイスを提供し、さらには『とっても！ ラッキーマン』の重要性にも同意してくれました。その慧眼は、悪くディスりようがありません。篤くお礼申し上げます。

本書の執筆過程において、家族からサポートを得られたことはとってもラッキーだったと思っています。和泉未央、和泉英、和泉晴の三名に深く感謝します。この程度のことばの尽くし方では、いつか悪く言われる気がしますが、他にどう言っていいのか分かりません。いつもどうもありがとう。

最後に、これまでに私に悪口を言ってきた人たち、ありがとう！　それも何かの足しにはなったよ。そして、これまでに私が悪口を言ってしまった人、ほんとにごめん！　悪かった！

注

1　この傾向性をさんざん目にしてきたと思われる言語学者の黒田龍之助は次のように述べています。「言語学を教えていて」言語学を学ぶ人は実はストレスを感じるのではないかと考えるようになった（中略）今まで持っていたイメージが否定されることに非常な不快感、抵抗感を示し、言語学の考え方に敢えて挑戦しようとする（中略）多くは感情論であり、悔しさをぶつけているのにすぎない。（中略）言語について何も知らない人はいない。（中略）なんといっても、ことばに興味があるから言語学を覗いてみようと思ったのだ。それなのにあれも違う、これも違うといわれては、どうしていいのかわからなくなってしまうではないか。（黒田 2004, pp. 27-29）

2　実際、一八五〇年代から、"Jap silk"（日本製の絹）のように差別的ニュアンスの一切ない"Jap"の用例があると報告されています（Hughes 2006, p. 261）。

3　これは実際私が二〇歳くらいのとき、留学先で受けた授業の内容がもとになっています。それは、心の哲学・言語哲学の研究者タイラー・バージ（Tyler Burge 1946–）が学部生向けに行っていた「フレーゲ」という名前の授業でした。フレーゲを最初に学ぶメリットは、比較的読みやすく、著作の分量も少ないからだ、と教わった記憶があります。

4　「言語哲学」をはじめとして、「X哲学」"philosophy of X"をどう考えるかについて、（Williamson 2014, p. 345）で述べられている考えに私は共感を抱いています。Xの哲学はXについての哲学であって、Xを経由した「第一哲学」を目指すわけではない、というものです。それと同時に、私たちは言語を利用することなく学問一般を行うことはできないので、本書で議論されるような、言語の特徴や表現にまつわる落とし穴に最大限詳しくなることにはメリットしかないでしょう。

5　「*」という記号を「スター」と呼び、ある言語の話者がその言語の語句として受け入れないような表現の前につけることにします。どういう意味で「受け入れない」のか、ということを本当は明示化しないといけません。「*」は一般的に「文法的に」受け入れられない、という意味を表します。ここでは、対比的に、文法的には受け入れられるが、別の意味で受け入れられない、といった語句について考察していませんので、そうした事例が出てきたときにあらためて、「文法的」という用語を導入します。

6　英語における“this”や“those”を指す“demonstrative”という用語は、言語学文献では「指示語」と訳されることが多いですが、より字義に即した哲学的文献の慣習を採用し、「直示語」としておきます。

7　たとえば、文脈を「話者」、「聞き手」、「発話の時間」などから構成される順序対〈s, h, t, ...〉として定義する方法が定番です。そして、「ぼく」など一人称の単語の意味は、「対の一番目の要素」などと分析するわけです。しかし、そうすると小さな子どもに向かって「ぼくどうしたの?」と言ったとき、その「ぼく」は大人の話者を意味することになってしまいます。こうした用法はどう考えたらよいのでしょうか。

8　「だいたいの」と断りを入れているのは、もしすべての可能世界で普遍的に成立しているようなことがあれば、それは可能世界をどう切り分けても区別できないからです。数学的真理などは、そのような例かもしれません。

9　「概念」が心の中だけにあるとは限りません。フレーゲにとっての「概念」は、客観的かつ抽象的なもので、私たちの心の働きとは独立して存在します。心の中にある概念を、「心的概念」と呼ぶことにしましょう。

10　意味の外在主義と内在主義にまつわる議論と並行的に、言語そのものを外在主義的なものとみなすべきか、それとも内在主義的なものとみなすべきか、という議論も存在します。これらの論争で決定的な役割を果たしているのは、言語学者ノーム・チョムスキーの言語理論で、哲学的観点から書かれた(Chomsky 2000)に含まれた論文をまずは読むことをおすすめします。日本語訳がないようですが、(仲宗根 2020)がオンライン上で良い解説を与えてくれています。

11　細かな差異がありますが、おおよそ同じ意味での真理条件的内容を、異なる理論家は異なる用語を使って表します。たとえば、フレーゲの「意義」(Sinn)、ポール・グライスの「言われたこと」(what is said)(Grice 1989)、クレイジ・ロバーツの「提示内容」(proffered content)(Roberts 1996)、クリストファー・ポッツの「争点的内容」

(at-issue content)（Potts 2005）などがあげられます。

12　「共有基盤」の概念はMITの哲学者ロバート・スタルネイカー（Robert Stalnaker 1940–）によって導入され、広く用いられるようになりました（Stalnaker 1978, p. 84; Stalnaker 2002）。

13　もちろん（5）を言う人物は、嘘でも冗談でもないとすると、（5）が真だと考えています。しかし、共有基盤は、お互いがお互いとも知っているだろうと思われる情報が含まれます。（5）を言う人物は、聞き手が（5）を知らないだろうと思っているので、二人の共有基盤には（5）の真理条件的内容が含まれない、というわけです。

14　この言語表現としての「おかしさ」は、第2章で登場した「*」という記号が表す非文法性としてのおかしさとは異なるものです。「#」がつく表現は、前後の文脈が異なるなどすれば、十分に許容される表現となるでしょう。

15　（Grice 1989, p. 43）には、有名な「彼は妻を叩くのをやめた」という事例が載っています。

16　「使用条件」以外の用語も、この種類の意味を特定するために広く使われています。言語学者クリストファー・ポッツは、意味のこの側面に関する研究における第一人者で、グライスの理論由来の「規約的含み」（conventional implicature）という語を使います。ポッツは、“ouch”といった挿入句、“fuck”といった卑語や、そして日本語のいわゆる敬語の意味を、使用条件的観点から分析し始めた最初の論者です（Potts and Kawahara 2004, Potts 2005, 2007）。（8b）の例は、敬語の真逆のようなものだと考えることができます。グライスの議論に立ち返ると、使用条件的内容と次に説明する会話の含みは、どちらも含みの一部ということになります。

17　アメリカの哲学者デイヴィッド・カプラン（David Kaplan 1933–）は、長年にわたり使用条件に関する研究をしており、論文草稿などを通じて哲学者・言語学者双方のコミュニティに大きく影響を与えています。「おっと」を選んだのは、それと似ている（だけどちょっと違う）英語の“oops”をカプランが議論しているからです。“oops”そして“ouch”についてのカプランの講演“The Meaning of Ouch and Oops”はオンライン上で観ることができます（https://www.youtube.com/watch?v=iaGRLlgPl6w）。カプラン流の議論を推し進めているのは、その教え子であるステファノ・プレデリです（Predelli 2013）。

18　これはもちろん、物理学で摩擦が存在しないと仮定するように、少なくとも理論的理想状況ではそうだというだけで、現実には権力関係の不均衡など、考慮しなければならない変数が存在します。権力関係については、以降の章でもたびたび登場します。

19　概念的に、あらかじめ共有基盤に含まれている前提的内容と、そうではない使用条件的内容が区別されることは分かりやすいでしょう。しかし、実際の会話を観察していくと、あらかじめ含まれていなさそうなことを前提として話すこともあれば、使用条件的内容が前提とされていることもあるでしょう。言語学では、これら二つをもう少し形式的な診断を使って区別します。気になる人はPotts（2005, 2015）を参照してください。

20　含みの概念と、それがどのように現れるのかについて、哲学者ポール・グライスが二〇世紀の中頃から詳しく検討を始めました（Grice 1989）。ちなみに、グライスの用語「含み」（implicature）は、哲学以外の分野では「推意」と訳されることが多いですが、ここでは清塚邦彦による翻訳（1998）を踏襲します。

21　話者が聞き手に伝えようと意図した内容は、「話者の意味」（speaker meaning）と呼ばれることも多いです。真理条件的内容も話者の意味に含まれ、会話の含みも話者の意味に含まれるでしょう。ただ、それらの関係は単純ではありません（Saul 2002）。

22　藤川（2014）とそして拙著和泉（2016）をご覧いただければ、固有名の意味論が近年どのように展開されてきたか、おおよそ把握することができます。

23　もちろんただの目安ですが、Google Scholarでは五〇〇〇件以上参照されています（二〇二〇年一二月）。

24　和泉（2016）第四章には、現在的な観点からの、記述の理論の批判的検討が含まれています。

25　グライスや「会話の含み（推意）」に関する解説として、日本語で読める文献は数多く存在します。たとえば（服部 2003　第八章「プラグマティックス」）や（岡本 2013）をあげておきます。

関連して、本書では触れることができませんが、注目すべき潮流として、「実験語用論」（experimental pragmatics）とも呼ばれる一連の研究が存在します。質問紙調査や心理言語学的実験（何かの反応速度を測るなど）を通じて、語用論における予測を検証したり理論を洗練させる試みです。近年は教科書（Noveck 2018）も出版されましたので、関心のある人は一読をおすすめします。

26　二〇〇〇年代には、『意味論ヴァーサス語用論』というタイトルのアンソロジー（Szabo 2005）が出版されたりするほど、意味論と語用論の境界に関する議論が盛り上がりました。（Recanati 2004）には邦訳（レカナティ 2006）があり、議論状況を分かりやすく学ぶことができます。
ひとつ前の注とも関連し、実験的手法を用いて言語理解のどこからどこまでが意味論的プロセスあるいは語用論的プロセスなのか、ということを細かく見出そうとする研究が進んでいます。

27　より先駆的人物として、スコットランドの哲学者トマス・リード（Thomas Reid, 1710-96）があげられることがあります。リードは、言語の理論的側面に重きを置く、アリストテレス以来の偏りを指摘し、言語の社会的作用を強調したと言われます（Smith 1990）。

28　このような発想は、言語的コミュニケーションの「コードモデル」として批判されてきました（Sperber and Wilson 1995）。

29　ここでは、"Expressives" という用語を想定しています。オースティンが "Behavitives"（態度表明型）と呼ぶものがそれに当たります。

30　ここでは議論することのできない理論的な問題が二つあります。第一に、ランクづけるという行為は発語内行為と発語媒介的帰結のどちらなのか、ということです。第二に、それは間接的な言語行為（indirect speech act）なのかどうか、もしそうならばどのように派生しているのか、というものです。間接的言語行為についてはたとえば（Kissine 2012）が参考になります。

31　この指摘自体はしばしばなされると思いますが、理論的にこれがいかにして可能か丁寧に議論したのが（McGowan 2019）です。

32　通常「嘘つき」と名詞を作り誰かを呼ぶとき、それは嘘が習慣化している、常習者である、という含意がともないます。誰かが「ダンスしている」と述べるのと、「ダンサーだ」と述べることには大きな違いがあります。名詞のこのような特徴については、第7章で議論します。

33　Carson（2006, p. 190）の事例にもとづいています。

34　英語表現の“bold-faced lie”を念頭においています。Saul（2012）の邦訳においては、「白々しい嘘」が訳として採用されています。罪のない、善意の嘘を“white lie”と呼ぶこともありますので、色の表現はなかなか一筋縄ではいきません。

35　https://www.caa.go.jp/policies/policy/representation/fair_labeling/（最終アクセス二〇二一年七月八日）

36　https://www.politifact.com/factchecks/2015/sep/23/donald-trump/hillary-clinton-obama-birther-fact-check/（最終アクセス日二〇二一年七月二三日）

37　最近ではこの「犬笛」という用語がやや広まり、オンライン上での使用を見かけます。どこからどこまでが犬笛であるのかは難しい問いで、どの表現も用法は流動的です。ただ、しばしば非常にあからさまな偏見の表明などを「犬笛」と呼んでいるのも見かけるので、それは「犬笛」ではなく「ブブゼラ」だろう、と思ってしまいます。モスキート音などのように、大半の人には「まったく聞こえない」ということが犬笛としては重要ですので、かなりの程度メッセージが隠されていることが必要であろうと思われます。

38　たとえば、（Cappellen and Dever 2019）に“9.4 Speech Acts in the Digital Age”（デジタル時代における言語行為）という節があります。

39　ですので「一般文」の方が“generics”の翻訳としてはふさわしいかもしれませんが、定着している「総称文」を用います。

40　総称文は単なる量化の文ではないため、「大半の」や「大多数の」といった量化表現で言い換えができる、ということではありません。単なる数量的な内容を超えているという点については、「総称文の特徴2」において説明します。

41　https://www.washingtonpost.com/news/post-politics/wp/2015/06/16/full-text-donald-trump-announces-a-presidential-bid/（最終アクセス二〇二一年七月二三日）

42　南川による日本語翻訳と原文を比較してみると、最後の“They're rapists”という文だけが「強姦犯だっている」と存在を表す文として言い換えられています。大半の移民が強姦犯であるはずがないので、これはもっともな、あるいは穏当な解釈の仕方です。しかし、重要なのは、トランプは別のより穏当でない解釈も可能な言い方をした、ということなのです。

43 https://www.politifact.com/virginia/statements/2016/aug/08/tim-kaine/tim-kaine-falsely-says-trump-said-all-mexicans-are/（最終アクセス日二〇二一年七月二三日）

44 法律学者の前田朗は二〇一五年の著書において、国際人権法や、各国における規制法の制定状況を解説しています。その本は八〇〇ページ近い大部ですが、それでも大幅に原稿を減らしたと前田は述べています（前田 2015, p. 788）。

45 "Framework Decision on combating certain forms and expressions of racism and xenophobia by means of criminal law"https://eur-lex.europa.eu/legal-content/EN/TXT/?uri = LEGISSUM%3Al33178（最終アクセス日二〇二一年七月二三日）

46 こうした点について、すでに優れた書籍が多数存在します。簡単に手に入るものとして、（師岡 2013, 安田 2015, 梁 2016）をあげたいと思います。

47 「a＞b」とは、aがbより何らかの序列関係において高い位置にあるとします。

48 「ランクづけ」という概念を踏まえて、ヘイトスピーチや他の現象について考察するという基本的発想を、私は哲学者レイ・ラングトンの一連の研究から学びました（Langton 2009, 2012）。ただ、具体的なメカニズムについての考え方は、おそらくかなり異なっていると思われます。

49 伝統的に、哲学分野には大きく分けて二種類の「概念分析」と呼ばれる手法があります。ひとつは、何らかの意味で不十分な概念を改良したり、差し替えたりするという概念分析です。たとえば、「重さ」という日常的な概念を改良し、「質量」という科学の中で使えるものに差し替える、といった手法です。もうひとつの概念分析は、私たちが用いている概念をひもといて、その中身を吟味するという、より文字通りの意義に近いかもしれない手法です。たとえば、「知識」とは一体何なのか、私たちが何かを「知っている」と言えるためには、どのような条件があるのか、といったことを理解する試みです。

前者の意味での概念分析は、哲学の歴史の中で非常に重要な位置を占めています。二〇世紀の哲学者ルドルフ・カルナップはそれを「解明」(explication)と呼び、二一世紀の哲学者サリー・ハスランガーは「改善的プロジェクト」(ameliorative project)と呼びました。そして、その重要性が近年特に強調されてきています。より適切な概念を提示し、事象を正しく理解することにより、科学や社会をよりよいものにできるかもしれないからです(戸田山・唐沢 2019, Cappelen and Plunket 2019)。ここでは、両方の手法を使った議論を行っています。「ヘイトスピーチ」概念の中身を切り分けて検討しますが、どのような概念なのかについての混乱が見られることも指摘し、一種の改善策を提示しているわけです。

50 「憎悪の神話」というフレーズは、憎悪という感情や態度がヘイトスピーチの要件ではないことを主張する(Brown 2017)から採りました。

51 心身へのダメージという点から、ヘイトスピーチそのものが直接的に被害者に危害を加えることは明らかです(中村 2012)。一方、ヘイトスピーチがジェノサイドなど大規模な犯罪とどう結びついているのか、因果関係があるのかどうか、といった点には論争があります(Grzyb and Freier 2017)。しかし、ヘイトスピーチを流したラジオ局の電波が届く範囲と、犯罪行為との間に相関関係があるという研究などもあり(Yanagizawa-Drott 2014)、危害の程度が少なくないことを想定する根拠は十分にあると思われます。

52 (和泉・朱・仲宗根 2018)においても、関連する議論が展開されています。

53 たとえば(和泉 2019)において検討されている、「土人」発言があげられます。

54 「平等」とはどういうことか、そしてなぜ「平等でない」のが「悪い」のか、という問いは、本書での議論とは独立に答えられる哲学・倫理学的問いだと思っています。功利主義的に考えるべきなのか、カント主義的に考えるべきなのか、また別の見方がよいのか、といった論点に、ここで答えることはできません。ヒントを与えてくれそうなのは、「どうして差別が悪いのか」という問いに答える差別の哲学だと思われます(池田・堀田 2021)。

参考文献

Austin, J. L. (1962). *How to Do Things with Words*. Harvard University Press, Cambridge, Massachusetts.（飯野勝己訳［2019］『言語と行為――いかにして言葉でものごとを行うか』講談社学術文庫）

Bergen, K. B. (2016). *What the F: What Swearing Reveals About Our Language, Our Brains, and Ourselves*. Basic Books.

Brown, A. (2017). What is hate speech? part 1: The myth of hate. *Law and Philosophy*, 36:419–468.

Cappelen, H. and Dever, J. (2019). *Bad Language*. Oxford University Press, Oxford.

Cappelen, H. and Plunkett, D. (2019). A guided tour of conceptual engineering and conceptual ethics. In Burgess, A., Cappelen, H., and Plunkett, D., editors, *Conceptual Engineering and Conceptual Ethics*. Oxford University Press, Oxford.

Carlson, C. R. (2021). *Hate Speech*. The MIT Press, Cambridge, Massachusetts.

Carson, T. L. (2006). The definition of lying. *Noûs*, 40 (2):284–306.

Chomsky, N. (2000). *New Horizons in the Study of Language and Mind*. Cambridge University Press, Cambridge, UK.

Churchland, P. (2002). *Brain-Wise: Studies in Neurophilosophy*, The MIT Press, Cambridge, Massachusetts.

Croom, A. M. (2011). Slurs. *Language Sciences*, 33:343–358.

DePaulo, B. M., Kashy, D. A., Kirkendol, S. E., Wyer, M. M., and Epstein, J. A. (1996). Lying in everyday life. *Journal of Personality and Social Psychology*, 70 (5):979–995.

Frankfurt, H. G. (2005). *On Bullshit*. Princeton University Press, New Jersey.

Gelman, S. A. (2003). *The Essential Child: Origins of Essentialism in Everyday Thought*. Oxford University Press,

New York.
Grice, P. H. (1989). *Studies in the Way of Words*. Harvard University Press, Cambridge, Massachusetts.（清塚邦彦訳［1998］『論理と会話』勁草書房）
Grzyb, A. and Freier, A. (2017). The role of Radio Télévision Libre des Mille Collines in the 1994 Rwandan genocide: Hate propaganda, media effects, and international intervention. In Totten, S., Theriault, H., and von Joeden-Forgey, E., editors, *Controversies in the Field of Genocide Studies*, pages 45–70. Routledge.
Gutzmann, D. (2015). *Use-Conditional Meaning: Studies in Multidimensional Semantics*. Oxford University Press, Oxford.
Hughes, G. (2006). *An Encyclopedia of Swearing: The Social History of Oaths, Profanity, Foul Language, and Ethnic Slurs in the English-speaking World*. M. E. Sharp.
Izumi, Y. and Hayashi, S, (2018). Expressive Small Clauses in Japanese, S. Arai, et al. eds., *New Frontiers in Artificial Intelligence: JSAI-isAI 2017 Workshops Revised Selected Papers, Lecture Notes in Computer Science/Artificial Intelligence*, pages 188–199. Springer.
Kaplan, D. (2005). Reading On Denoting' on its centenary. *Mind*, 114 (456):933–1003.
Khoo, J. (2017). Code words in political discourse. *Philosophical Topics*, 45 (2):33–64.
Kissine, M. (2012). Sentences, utterances, and speech acts. In K. Allan & K. Jaszczolt editors, *The Cambridge Handbook of Pragmatics*, pages 169–190. Cambridge University Press, Cambridge, UK.
Langton, R. (2009). *Sexual Solipsism: Philosophical Essays on Pornography and Objectification*. Oxford University Press, Oxford.
Langton, R. (2012). Beyond belief: Pragmatics in hate speech and pornography. In Maitra, I. and McGowan, M. K., editors, *Speech and Harm: Controversies over Free Speech*, pages 72–93. Oxford University Press, Oxford.
Leslie, S. J. (2017). The original sin of cognition: Fear, prejudice and generalization. *The Journal of Philosophy*, 114

(8):393–421.

McCready, E. (2019). *The Semantics and Pragmatics of Honorification.* Oxford Studies in Semantics and Pragmatics 11. Oxford University Press, Oxford.

McGowan, M. K. (2019). *Just Words: On Speech and Hidden Harm.* Oxford University Press, Oxford.

Michaelson, E. and Stokke, A. (2021). Lying, deception, and epistemic advantage. In Khoo, J. and Sterken, R., editors, *The Routledge Handbook of Social and Political Philosophy of Language*, pages 109–124. Routledge.

Murray, S. E. (2014). Varieties of update. *Semantics and Pragmatics*, 7 (2):1–53.

Nishiyama, K. (1999). Adjectives and the copulas in Japanese. *Journal of East Asian Linguistics*, 8:183–222.

Noveck, I. (2018). *Experimental Pragmatics: The Making of a Cognitive Science.* Cambridge University Press, Cambridge, UK.

Pietroski, P. M. (2018). *Conjoining Meaning.* Oxford Uniersity Press, Oxford.

Potts, C. (2005). *The Logic of Conventional Implicatures.* Oxford University Press, Oxford.

Potts, C. (2007). The expressive dimension. *Theoretical Linguistics*, 33:165–198.

Potts, C. (2015). Presupposition and implicature. In Lappin, S. and Fox, C., editors, *The Handbook of Contemporary Semantic Theory*, pages 168–202. Wiley-Blackwell, Oxford, 2nd edition.

Potts, C. and Kawahara, S. (2004). Japanese honorifics as emotive definite descriptions. In Watanabe, K. and Young, R. B., editors, *Proceedings of Semantics and Linguistic Theory 14.* CLC Publications, Ithaca.

Predelli, S. (2013). *Meaning Without Truth.* Oxford University Press, Oxford.

Putnam, H. (1975). The meaning of 'meaning' *Philosophical Papers: Mind, Language and Reality*, pages 215–271. Cambridge University Press, London and New York.

Recanati, F. (2004). *Literal Meaning.* Cambridge University Press, Cambridge, UK.（今井邦彦訳［2006］『ことばの意味とは何か——字義主義からコンテクスト主義へ』新曜社）

Ritchie, K. (2021). Essentializing inferences. *Mind & Language*, 36 (4):570–591.

Roberts, C. (1996). Information structure in discourse: Towards an integrated formal theory of pragmatics. In Yoon, J. H. and Kathol, A., editors, *Working Papers in Linguistics 49*, pages 91–136. The Ohio State University.

Saul J. M. (2002). Speaker Meaning, What Is Said, and What Is Implicated. *Noûs*, 36 (2):228–248.

Saul, J. (2012). *Lying, Misleading, and What Is Said*. Oxford University Press, Oxford.（小野純一訳［2021］『言葉はいかに人を欺くか――嘘、ミスリード、犬笛を読み解く』慶應義塾大学出版会）

Saul, J. (2018). Dogwhistles, political manipulation, and philosophy of language. In Fogal, D., Harris, D. W., and Moss, M., editors, *New Work on Speech Acts*, pages 360–383. Oxford University Press, Oxford.

Smith, B. (1990). Toward a history of speech act theory. In Burkhardt A. editor, *Speech Acts, Meaning and Intentions: Critical Approaches to the Philosophy of John Searle*, pages 29–61. Walterde Gruyter, Berlin.

Sperber, D. and Wilson, D. (1995). *Relevance: Communication and Cognition*. Blackwell, Oxford, 2nd edition.（内田聖二ほか訳［2000］『関連性理論――伝達と認知』研究社）

Stalnaker, R. (1978). Pragmatics. In Davidson, D. and Harman, G. H., editors, *Semantics of Natural Language*, pages 380–397. D. Reidel Publishing Co., Dordrecht. Reprinted in Stalnaker (1999). *Context and Content: Essays on Intensionality in Speech and Thought*. Oxford University Press, Oxford.

Stalnaker, R. (2002). Common ground. *Linguistics and Philosophy*, 25 (5):701–721.

Stanley, J. (2015). *How Propaganda Works*. Princeton University Press, New Jersey.

Szabó, Z. G., editor (2005). *Semantics Vs. Pragmatics*. Clarendon Press, Oxford.

Vanderveken, D. (1990). *Meaning and Speech Acts Volume 1 Principles of Language Use*, Cambridge University Press, Cambridge UK.

Waldron, J. (2012). *The Harm in Hate Speech*. Harvard University Press, Cambridge, Massachusetts.

Waltman, M. and Haas, J. (2011). *The Communication of Hate*. Peter Lang.

Williamson, T. (2014). How did we get here from there? The Transformation of Analytic Philosophy. *Belgrade Philosophical Annual*, 27, 7-37. Reprinted in Williamson, T. (2022) *Philosophy of Philosophy*, 2nd edition, pages 312-350. Wileg.

Yanagizawa-Drott, D. (2014). Propaganda and conflict: Evidence from the Rwandan genocide. *The Quarterly Journal of Economics*, 129 (4):1947-1994.

浅田和茂・内田博文・上田寛・松宮孝明（2020）『現代刑法入門』第4版、有斐閣

アリストテレス（2017）堀尾耕一訳「弁論術」『アリストテレス全集 18』岩波書店

飯田隆（1995）『言語哲学大全Ⅲ』勁草書房

池田喬・堀田義太郎（2021）『差別の哲学入門』アルパカ

和泉悠（2016）『名前と対象――固有名と裸名詞の意味論』勁草書房

和泉悠（2019）「「土人が」の語用論」『メタフュシカ』五〇、六三-七三頁

和泉悠（2020）「日本語裸名詞の意味論」斎藤衛ほか編『日本語研究から生成文法理論へ』開拓社

和泉悠・朱喜哲・仲宗根勝仁（2018）「ヘイト・スピーチ――信頼の壊しかた」小山虎編『信頼を考える――リヴァイアサンから人工知能まで』勁草書房、一九三-二一七頁

岡地稔（2018）『あだ名で読む中世史――ヨーロッパ王侯貴族の名づけと家門意識をさかのぼる』八坂書房

岡本真一郎（2013）『言語の社会心理学』中公新書

岡本真一郎（2016）『悪意の心理学』中公新書

グリーン、M・ジョージア（1990）深田淳訳『プラグマティックスとは何か――語用論概説』産業図書

黒田龍之助（2004）『はじめての言語学』講談社現代新書

佐藤進一・池内義資編（2019）『中世法制資料集　第一巻』岩波書店

ショーペンハウアー（1851/2018）鈴木芳子訳『幸福について』光文社古典新訳文庫

筒井康隆（1967）「悪口雑言罵詈讒謗私論」『ことばの宇宙』8月号、テック言語教育事業グループ、二三－三〇頁
戸田山和久・唐沢かおり編（2019）『〈概念工学〉宣言！――哲学×心理学による知のエンジニアリング』名古屋大学出版会
仲宗根勝仁（2020）「Noam Chomsky, *New Horizons in the Study of Language and Mind*, Cambridge University Press, 2000年」, *Tokyo Academic Review of Books*, vol.8, https://doi.org/10.52509/tarb0008.
中村一成（2012）『ルポ京都朝鮮学校襲撃事件――〈ヘイトクライム〉に抗して』岩波書店
藤川直也（2014）『名前に何の意味があるのか』勁草書房
前田朗（2015）『ヘイト・スピーチ法研究序説――差別煽動犯罪の刑法学』三一書房
前田朗（2019）『ヘイト・スピーチ法研究原論――ヘイト・スピーチを受けない権利』三一書房
南川文里（2018）「「移民の国」のネイティヴィズム――アメリカ排外主義と国境管理」樽本英樹編『排外主義の国際比較――先進諸国における外国人移民の実態』ミネルヴァ書房、一七七－一九七頁
J・S・ミル（2012）斉藤悦則訳『自由論』光文社古典新訳文庫
師岡康子（2013）『ヘイトスピーチとは何か』岩波新書
八木沢敬（2014）『神から可能世界へ――分析哲学入門・上級編』講談社
安田浩一（2015）『ヘイトスピーチ――「愛国者」たちの憎悪と暴力』文春新書
山本幸司（2006）『〈悪口〉という文化』平凡社
梁英聖（2016）『日本型ヘイトスピーチとは何か』影書房

本書で議論された内容の一部は、二〇二一年度南山大学パッヘ研究奨励金I-A-2およびJSPS科研費18K12194による研究支援にもとづいている。

ちくま新書
1634

悪《わる》い言語哲学入門《げんごてつがくにゅうもん》

二〇二二年二月一〇日　第一刷発行

著者　和泉 悠（いずみ・ゆう）

発行者　喜入冬子

発行所　株式会社 筑摩書房
東京都台東区蔵前二-五-三　郵便番号一一一-八七五五
電話番号〇三-五六八七-二六〇一（代表）

装幀者　間村俊一

印刷・製本　三松堂印刷 株式会社

ISBN978-4-480-07455-3 C0280

ちくま新書

545
哲学思考トレーニング
伊勢田哲治

哲学って素人には役立たず？　否、そこは使える知のツールの宝庫。屁理屈や権威にだまされず、筋の通った思考を自分の頭で一段ずつ積み上げてゆく技法を完全伝授！

666
高校生のための哲学入門
長谷川宏

どんなふうにして私たちの社会はここまできたのか。「知」の在り処はどこか。ヘーゲルの翻訳で知られる著者が、自身の思考の軌跡を踏まえて書き下ろす待望の書。

695
哲学の誤読
――入試現代文で哲学する！
入不二基義

哲学の文章を、答えを安易に求めるのではなく、思考の対話を重ねるように読み解いてみよう。入試問題の哲学文を「誤読」に着目しながら精読するユニークな入門書。

944
分析哲学講義
青山拓央

現代哲学の全領域に浸透した「分析哲学」。言語のはたらきの分析を通じて世界の仕組みを解き明かすその手法は切れ味抜群だ。哲学史上の優れた議論を素材に説く！

964
科学哲学講義
森田邦久

科学的知識の確実性が問われている今こそ、科学の正しさを支えるものは何かを、根源から問い直さねばならない！　気鋭の若手研究者による科学哲学入門書の決定版。

967
功利主義入門
――はじめての倫理学
児玉聡

「よりよい生き方のために常識やルールをきちんと考えなおす」技術としての倫理学において「功利主義」は最有力のツールである。自分で考える人のための入門書。

1060
哲学入門
戸田山和久

言葉の意味とは何か。私たちは自由意志をもつのか。人生に意味はあるか……こうした哲学の中心問題を科学が明らかにした世界像の中で考え抜く、常識破りの入門書。

1119
近代政治哲学 ——自然・主権・行政
國分功一郎
今日の政治体制は、近代政治哲学が構想したものだ。ならば、その基本概念を検討することで、いまの民主主義体制が抱える欠点も把握できるはず！ 渾身の書き下し。

1143
観念論の教室
冨田恭彦
私たちに知覚される場合だけ物は存在すると考える「観念論」。人間は何故この考えにとらわれるのか。元祖観念論者バークリを中心に「明るい観念論」の魅力を解く。

1165
プラグマティズム入門
伊藤邦武
これからの世界を動かす思想として、いま最も注目されるプラグマティズム。アメリカにおけるその誕生から最新の研究動向まで、全貌を明らかにする入門書決定版。

907
正義論の名著
中山元
古代から現代まで「正義」は思想史上最大のテーマのひとつでありつづけている。プラトンからサンデルに至る主要な思想のエッセンスを網羅し今日の課題に応える。

901
ギリシア哲学入門
岩田靖夫
「いかに生きるべきか」という問題は一個人の幸福から「正義」への問いとなり、共同体＝国家像の検討へつながる。ギリシア哲学を通してこの根源的なテーマに迫る。

1322
英米哲学入門 ——「である」と「べき」の交差する世界
一ノ瀬正樹
夢と現実って本当に区別できるの？ この世界に実は因果関係なんて存在しない？ 哲学の根本問題を経験や言語を足場に考え抜く、笑いあり涙あり（？）の入門講義。

1281
死刑 その哲学的考察
萱野稔人
死刑の存否をめぐり、鋭く意見が対立している。「結論ありき」でなく、死刑それ自体を深く考察することで、これまでの論争を根底から刷新する、究極の死刑論！

ちくま新書

008 ニーチェ入門　竹田青嗣
新たな価値をつかみなおすために、今こそ読まれるべき思想家ニーチェ。現代の我々をも震撼させる哲人の核心に大胆果敢に迫り、明快に説く刺激的な入門書。

020 ウィトゲンシュタイン入門　永井均
天才哲学者が生涯を賭けて問いつづけた「語りえないもの」とは何か。写像・文法・言語ゲームと展開する特異な思想に迫り、哲学することの妙技と魅力を伝える。

029 カント入門　石川文康
哲学史上不朽の遺産『純粋理性批判』を中心に、その哲学の核心を平明に読み解くとともに、哲学者の内面のドラマに迫り、現代に甦る生き生きとしたカント像を描く。

071 フーコー入門　中山元
絶対的な〈真理〉という〈権力〉の鎖を解きはなち、〈別の仕方〉で考えることの可能性を提起した哲学者、フーコー。一貫した思考の歩みを明快に描きだす新鮮な入門書。

277 ハイデガー入門　細川亮一
二〇世紀最大の哲学書『存在と時間』の成立をめぐる謎とは？　難解といわれるハイデガーの思考の核心を読み解き、西洋哲学が問いつづけた「存在への問い」に迫る。

301 アリストテレス入門　山口義久
論理学の基礎を築き、総合的知の枠組をつくりあげた古代ギリシア哲学の巨人。その思考の方法と核心に迫り、知の探究の軌跡をたどるアリストテレス再発見！

533 マルクス入門　今村仁司
社会主義国家が崩壊し、マルクス主義が後退した今、マルクスを読みなおす意義は何か？　既存のマルクス像からはじめて自由になり、新しい可能性を見出す入門書。

ちくま新書

001 貨幣とは何だろうか　今村仁司
人間の根源的なあり方の条件から光をあてて考察する貨幣の社会哲学。世界の名作を「貨幣小説」と読むなど貨幣への新たな視線を獲得するための冒険的論考。

132 ケアを問いなおす ――〈深層の時間〉と高齢化社会　広井良典
高齢化社会において、老いの時間を積極的に意味づけてゆくケアの視点とは？　医療経済学、医療保険制度、政策論、科学哲学の観点からケアのあり方を問いなおす。

377 人はなぜ「美しい」がわかるのか　橋本治
「美しい」とはどういう心の働きなのか？「合理性」や「カッコよさ」とはどう違うのか？　日本の古典や美術に造詣の深い、活字の鉄人による「美」をめぐる人生論。

395 「こころ」の本質とは何か ――統合失調症・自閉症・不登校のふしぎ　シリーズ・人間学⑤　滝川一廣
統合失調症、自閉症、不登校――。これら三つの「こころ」の姿に光を当て、「個的」でありながら「共同的」でもある「こころ」の本質に迫る、精神医学の試み。

1039 社会契約論 ――ホッブズ、ヒューム、ルソー、ロールズ　重田園江
この社会の起源には何があったのか。ホッブズ、ヒューム、ルソー、ロールズの議論を精密かつ大胆に読みなおし、近代の中心的思想を今に蘇らせる清冽な入門書！

1146 戦後入門　加藤典洋
日本はなぜ「戦後」を終わらせられないのか。その核心にある「対米従属」「ねじれ」の問題の起源を世界戦争に探り、憲法九条の平和原則の強化による打開案を示す。

1183 現代思想史入門　船木亨
ポストモダン思想は、何を問題にしてきたのか。生命、精神、歴史、情報、暴力の五つの層で現代思想をとらえなおし、混迷する時代の思想的課題を浮き彫りにする。

ちくま新書

1409 不道徳的倫理学講義 ——人生にとって運とは何か 古田徹也
私たちの人生を大きく左右するにもかかわらず、倫理学では無視されがちな「運」をめぐる是非。それらの議論を古代から現代までたどり、人間の生の在り方を探る。

1259 現代思想の名著30 仲正昌樹
近代的思考の限界を超えようとした現代思想。難解なものが多いそれらの名著を一気に30冊解説する。知っているつもりになっていたあの概念の奥深さにふれる。

1245 アナキズム入門 森元斎
国家なんていらない、ひたすら自由に生きよう——プルードン、バクーニン、クロポトキン、ルクリュ、マフノの思想と活動を生き生きと、確かな知性で描き出す。

910 現代文明論講義 ——ニヒリズムをめぐる京大生との対話 佐伯啓思
殺人は悪か？　民主主義はなぜ機能しないのか？——ニヒリズムという病が生み出す現代社会に特有の難問について学生と討議する。思想と哲学がわかる入門講義。

578 「かわいい」論 四方田犬彦
キティちゃん、ポケモン、セーラームーン——。日本製のキャラクター商品はなぜ世界中で愛されるのか？「かわいい」の構造を美学的に分析する初めての試み。

569 無思想の発見 養老孟司
日本人はなぜ無思想なのか。それはつまり、「ゼロ」のようなものではないか。「無思想の思想」を手がかりに、日本が抱える諸問題を論じ、閉塞した現代に風穴を開ける。

532 靖国問題 高橋哲哉
戦後六十年を経て、なお問題でありつづける「靖国」を、具体的な歴史の場から見直し、それが「国家」の装置としていかなる役割を担ってきたのかを明らかにする。

ちくま新書

110 「考える」ための小論文　西研・森下育彦
論文を書くことは自分の考えを吟味するところから始まる。大学入試小論文を通して、応用のきく文章作法を学び、考える技術を身につけるための哲学的実用書。

542 高校生のための評論文キーワード100　中山元
言説とは？　イデオロギーとは？　テクストとは？　辞書を引いてもわからない語を、思想的背景や頻出する文脈から解説。評論文を読む〈視点〉が養えるキーワード集。

604 高校生のための論理思考トレーニング　横山雅彦
日本人は議論下手。なぜなら「論理」とは「英語の」思考様式だから。日米の言語比較から、その背後の「心の習慣」を見直し、英語のロジックを日本語に応用する。２色刷。

1249 日本語全史　沖森卓也
古代から現代まで、日本語の移り変わりをたどり全史を解き明かすはじめての新書。時代ごとの文字・音韻・語彙・文法の変遷から、日本語の起源の姿が見えてくる。

1380 使える！「国語」の考え方　橋本陽介
読む書く力は必要だけど、授業で身につくの？　小説と評論、どっちも学ばなきゃいけないの？　国語にまつわる疑問を解きあかし、そのイメージを一新させる。

1606 ヴィジュアルを読みとく技術 ――グラフからアートまでを言語化する　吉岡友治
仕事で目にするグラフや美術館のアート作品など、視覚に訴えかけてくるものは多い。でも、それを読み取り、言葉にすることは難しい。そのための技法を伝授する。

993 学問の技法　橋本努
学問の王道から邪道まで、著者自身の苦悩から生み出されたテクニックを満載！　大学生はもちろん社会人も、読めば学問がしたくてしょうがなくなる、誘惑の一冊。

ちくま新書

253
教養としての大学受験国語
石原千秋
日本語なのにお手上げの評論読解問題。その論述の方法を、実例に即し徹底解剖。アテモノを脱却し上級の教養をめざす、受験生と社会人のための思考の遠近法指南。

1105
やりなおし高校国語
——教科書で論理力・読解力を鍛える
出口汪
教科書の名作は、大人こそ読むべきだ！　夏目漱石、森鷗外、丸山眞男、小林秀雄などの名文をカリスマ現代文講師が読み解き、社会人必須のスキルを授ける。

1396
言語学講義
——その起源と未来
加藤重広
時代とともに進化し続ける言語学。国家戦略、AI、滅びる言語、……現代に即した切り口も交え、ことばの研究の起源から最先端まで、全体像と各論点を学びなおす。

1478
漢語の謎
——日本語と中国語のあいだ
荒川清秀
漢字の熟語である「漢語」は、中国から日本に伝来し、また日本から中国へ輸出もされてきた。本書は様々な漢語の来し方を探求し、秘められたドラマを描きだす。

1563
中国語は楽しい
——華語から世界を眺める
新井一二三
中国語で書き各地で活躍する作家が、文法や発音など基礎を解説し、台湾、香港、東南アジア、北米などに華語として広がるこの言語と文化の魅力を描き出す。

1568
ことばは国家を超える
——日本語、ウラル・アルタイ語、ツラン主義
田中克彦
日本語と文の構造ばかりか、表現方法、つまりものの感じ方までもが共通する言語が世界には多く存在する！　世界の見え方が変わる、言語学入門。

1221
日本文法体系
藤井貞和
日本語を真に理解するには、現在の学校文法を書き換えなければならない。豊富な古文の実例をとりあげつつ、日本語の隠れた構造へと迫る、全く新しい理論の登場。